Roland & Hervée Pasquier

10 Jahre im Kloster

Das Haus der Bibel

Christliche
Literatur-Verbreitung e.V.
Postfach 11 01 35 · 33661 Bielefeld

Bibeltexte gemäß NGÜ oder Schlachterübersetzung

1. Auflage 2002

© der französischen Ausgabe 2001
by La Maison de la Bible
Originaltitel: A la recherche de Dieu
© der deutschen Ausgabe 2002
by Das Haus der Bibel
Chemin Praz-Roussy 4 bis, CH 1032 Romanel-sur-Lausanne
Internet: http://www.bible.ch – E-mail: cmd@bible.ch
& CLV - Christliche Literatur-Verbreitung
Internet: www.clv.de
Satz: CLV
Druck und Bindung: Ebner & Spiegel, Ulm

ISBN 2-8260-5027-3 (Haus der Bibel)
ISBN 3-89397-481-4 (CLV)

Inhaltsverzeichnis

Vorwort	7
Der Austritt aus dem Kloster – Erste Eindrücke	9
Roland	13
Hervée	19
Die Begegnung	29
Das Engagement in der Kirchgemeinde	37
Das Engagement im Kloster	45
Das Postulat von Roland	53
Das Postulat von Hervée	59
Noviziat und Glaubensbekenntnis von Roland	69
Noviziat und Glaubensbekenntnis von Hervée	83
Austritt aus dem Kloster	105
Der Einzug	117
Die Familie	131
Vallée de Joux, Land der Aufnahme	133
Schlussfolgerung – Einige Überlegungen	141
Daten	143
Das Klosterleben	145
Der Katholizismus	149
Fußnoten	153

Vorwort

Das auserwählte Volk

Der Morgenröte eines neuen Tags entgegen,
Die zerfließt wie goldner Wein,
So schauen sie vor sich das gelobte Land.
Sie alle schreiten aufrecht
Und hinterlassen die Spuren ihrer Schritte
Auf den gewählten Wegen.
Sie gehen weiter, immer weiter
Und lassen ihre Wunden hinter sich.
Ihre Hände, die sind leer,
Doch ihre Herzen, die sind voller Hoffnung.
Der Abendsonne nun entgegen,
Die, zerfließend wie rubinroter Wein,
Im Meer versinkt,
Schreiten sie lautlos
Der Stille – Ankündigerin der Liebe – entgegen.
Sie erhalten die wohltuende Vergebung
Und empfangen das verheißne Land.
Müde zwar, doch mit königlichem Schritt
Und mit erneuertem und reinem Blick
Lassen sie sich ganz durchdringen
Von der Verheißung der Ewigen Liebe.

Les Bioux, 16. Juli 1995
Hervée Pasquier

Der Austritt aus dem Kloster – Erste Eindrücke

Hervée[1]

Es ist Montag, der 13. Februar 1995. Heute verlasse ich endgültig das Kloster. Der Bruch mit der Institution ist endgültig. Dank der Gnade Gottes trete ich aus diesem Ort der Finsternis heraus. Es ist ein Tag von großer Wichtigkeit.

In ein paar Stunden werden Freunde mich abholen. Ich bin ruhig und überzeugt von meiner Entscheidung. Ich warte auf den Moment, wo das Glöckchen die Ankunft der Freunde anzeigen wird. Ich warte auf den Moment, wo ich diesen Lebensabschnitt hinter mir lasse und den kalten und metallischen Ton dieser großen Türen hören werde, wenn sie sich hinter mir schließen.

Um nicht die Neugierde der Mitglieder der Gemeinschaft zu wecken, trage ich die Uniform bis zum letzten Augenblick. Die Freunde kommen. Ich tausche meine Ordenskleidung gegen die Zivilkleider, die von meiner – bisherigen – Oberin ausgewählt worden waren.

Ich gestehe, dass in diesem Augenblick viel von mir verlangt wird. Ich bin eher geschmacklos in Zivilkleider eingewickelt und habe den Kopf mit einem Kopftuch verhüllt, das ich im Augenblick nicht entfernen darf. Ich bete innerlich, dass ich diese Zeitspanne so natürlich wie möglich überstehen möge. Ich will mich nicht in Fragen verlieren oder mit Unwichtigem quälen. Ich will das Verlassen des Klosters bewusst erleben und diese Gabe Gottes genießen.

Endlich öffnen sich beide Türen, und wir überschreiten den Zwischenraum, der uns noch vom Ausgang trennt.

Den Lärm der sich schließenden Türen höre ich kaum, auch nicht das Geräusch des Schlüssels, der sich hinter mir im Schloss dreht. Ich atme tief durch. Ich realisiere die mich umgebende Weite, die mich einlädt, von neuem zu leben. Ich habe zwar ein Gefühl der Nacktheit, und ich habe alles preisgegeben – aber ich bin frei.

Ich werde mir bewusst, dass Gott mich aus der Finsternis befreit. Er schenkt mir eine unerwartete Kraft, um den Tatsachen des heutigen Tages gegenüberzutreten. Endlich löst sich die Spannung. Ich spreche und antworte auf Fragen. Ich bin überschwemmt von einer Menge Fragen und muss mich sehr anstrengen, um Ordnung in die Gedanken zu bringen. Ich werde im französischen Distrikt Haute-Provence erwartet. Das ist alles, was ich weiß.

Ich werde mir über meinen Zustand klar. Ich fühle mich äußerst zerbrechlich, und meine Persönlichkeit ist gebrochen. Ich weiß nicht, was in den kommenden Tagen passieren wird. Ich schaue auf das schäbige, alte Leintuch; aber ich habe keine Angst. Alles wird wieder aufgebaut werden. Die Unterstützung, die ich während der letzten zehn Monate erfahren habe, ist da und lebt in mir. Ich verlasse mich auf diese Kraft und will mich auf sie stützen.

Ich denke an Roland. Durch die Gnade Gottes tat er den gleichen Schritt zur selben Zeit. In drei Wochen werden wir uns in der Haute-Provence treffen.

Es ist entscheidend, diesen Moment des Zusammentreffens abzuwarten, bevor wir irgendetwas unternehmen. Gemeinsam werden wir uns auf den Weg machen, unser Leben und unsere Persönlichkeit wieder aufzubauen.

Wenn ich diese ersten Tage der Befreiung überdenke, so verstehe ich die Schwierigkeit oder gar Unmöglichkeit, ein Kloster zu verlassen. Umso dankbarer bin ich Gott gegenüber, welcher diesen Austritt möglich gemacht hat.

Trotz der menschlichen Schwierigkeiten dieses neuen Lebens atme ich die Freiheit und den Frieden Gottes. Ich realisiere, dass ich keine Bitterkeit in mir verspüre und dass mein Glaube lebendig ist.

Roland

Es ist Anfang März 1995, und der Tag meines Austritts aus dem Kloster ist gekommen.

Eine Person holt mich ab. Kurz nach deren Ankunft durchschreiten wir das große Portal, und die Türe schließt sich hinter uns. Ich habe endlich ein Gefühl des Lebens, der Freiheit und des Friedens in mir.

Kurz nach dem Austritt schlägt mir meine Begleiterin vor, in einem Restaurant ein Gipfeli[2] zu essen. Den Geschmack des Kaffees und das knusprige Gebäck werde ich wohl nie mehr vergessen. Und doch erschreckt mich der neue Kontakt mit der Außenwelt ein bisschen. Ich bin mittellos und ungeschickt. Ich trage Kleidung, die alles andere als maßgeschneidert ist, und ich habe den Eindruck, als käme ich von einem anderen Planeten. Bald befinde ich mich in einer Kleidersammelstelle. Fünf Personen kümmern sich um mich. Als ich hinausgehe, bin ich würdig und angenehm gekleidet und mit allem Nötigen versehen. Ich bin sehr erleichtert, als wir in Genf ankommen, wo ich mich eine Woche lang aufhalten soll, bevor ich Hervée in der Haute-Provence treffe. Dieses Zimmer ist für mich ein Unterschlupf, der mich abschirmt vom hektischen und lärmenden Leben draußen. Ich realisiere, dass ich keinen Kontakt zur Außenwelt mehr hatte, will aber jetzt nicht darüber nachdenken, sondern vorerst mit Hervée zusammentreffen. Alles andere wird sich später ergeben.

Am Ende dieser Woche machen wir uns auf den Weg in die Haute-Provence. Ich frage mich, wie wir uns treffen werden, und wie es Hervée geht.

Während der ganzen Reise genieße ich die vorbeiziehende Landschaft. Mein ganzes Wesen wird erfüllt von der Schönheit der Natur, und ich habe den Eindruck, dass ich Ebenbürtiges nie habe betrachten können. Ich gestehe, dass ich friedfertig und dankbar bin, von der institutionellen Dunkelheit befreit zu sein. Ich bin sehr schwach, habe keine Existenzgrundlage, aber ich habe Vertrauen. Ich empfinde keine Bitterkeit in mir. Nur die Sicherheit Gottes beseelt mich.

Die Tatsache, dass Hervée und ich ohne unser Zutun wieder zusammengefunden haben, erlaubt mir, der Zukunft mit heiterer Ausgeglichenheit entgegenzusehen. Gott allein hat über unsere Liebe wachen und sie beschützen können.

Roland

Roland ist in einer »zufälligerweise« katholischen Familie auf die Welt gekommen. Man denkt daran anlässlich der großen jährlichen Feste und der Ereignisse wie Taufe, Hochzeit und Tod. Diese Tage hinterlassen ein Gefühl der Festlichkeit, der Aufregung oder der tiefen Trauer.

Roland ist in diesem religiösen Umfeld aufgewachsen. Er ist getauft und besucht den katholischen Unterricht. Während eines Kindergartenjahres und den ersten zwei Schuljahren besucht er eine Klosterschule, in der Nonnen und Mönche den Unterricht erteilen und die von einem Kongregationsvorsteher geleitet wird.

Nachdem er bei einer unterrichtenden Ordensfrau Grausamkeiten, Ungerechtigkeiten und Misshandlungen erlebt hat, äußert er den Wunsch, diese Schule verlassen zu dürfen. Glücklicherweise sind die Eltern einverstanden. Er muss nur noch einmal pro Woche die religiöse Unterweisung besuchen. Nach seiner Kommunion im Alter von zwölf Jahren gibt er alles auf und verleugnet Gott. Er kann sich nicht damit abfinden, dass dieser Gott, der im Unterricht als Gott der Liebe dargestellt wird, so viel Ungerechtigkeit und Heuchelei duldet.

Er kommt in eine freie Schule, wo alles anders und positiv ist. Während der Zeit des Heranwachsens und als junger Erwachsener wendet er sich verschiedenen Philosophien zu, die ihm Antwort versprechen auf brennende Fragen. Ungläubig und der Kirche gegenüber feindlich gesinnt, die Existenz Gottes verneinend, empfindet er einen unlöschbaren Durst nach der wirklichen Liebe.

Diese Suche nach Wahrheit und Liebe führt ihn aber immer weiter weg vom ewigen Gott. Seine philosophischen Weltbilder beruhigen momentan sein Gewissen und machen ihm die kategorische Zurückweisung der wichtigsten Fragen leicht.

Er ist ein begabter Zeichner, hat die schönen Künste studiert und wird in die Gesellschaft der Künstler aufgenommen, an deren Zusammenkünften er rege teilnimmt. Das entspricht seinem Wunsch nach Schönheit und seinem ethischen Empfinden.

Auf seinem Lebensweg kommt er auch mit dem Spiritismus in Kontakt. Aber aus innerer Überzeugung weist er diese Verführung zurück. Gott beschützt ihn, ohne dass er sich dessen bewusst ist.

Eines Tages, anlässlich eines langen Spazierganges im Wald, die Einsamkeit und Entspannung genießend, überkommt ihn plötzlich ein tiefer Lebensüberdruss. Was hat sein Leben für einen Sinn? Wo ist die Liebe, nach der er sich sehnt? Und die Wahrheit? Und die Gerechtigkeit? Alle diese Fragen versetzen sein Inneres in Aufruhr. Er versucht ihnen zu entfliehen, indem er rasch eine befriedigende Antwort sucht. Aber danach muss er zulassen, dass diese innere Not ihn weiter verfolgt.

Er vertieft sich noch mehr in die Philosophie, die Künste und die Natur. Der Wald wird zu seinem Vertrauten. Eines Tages spricht er zu ihm: »Wenn ich doch nur einem wahrhaftigen jungen Mädchen begegnen würde und es lieben könnte und geliebt würde.« Er ist müde von seinen kurzen und oberflächlichen Begegnungen mit Frauen.

Lassen wir Roland selber sprechen: Nach einer Jugend, in der mir die mütterliche Liebe verweigert wurde, den ersten Schuljahren in einer katholischen Umgebung, wo ich nur Mangel an Liebe spürte und Heuchelei empfand, werde ich ein kleiner Junge, der sich nach Liebe und Gerechtigkeit sehnt. Aus diesem Grund dringe ich in die Verwirrungen der Philosophie ein. Ein Onkel, Künstler von Beruf, erkennt mein inneres Wesen, kümmert sich um mich und nimmt sich meiner Ausbildung an. Diese Beziehung wird zu einer Beziehung zwischen Schöpfer und Schöpfung. Sie lindert die fehlende Liebe meiner Mutter und meiner Familie. Ich habe nur die sichere, aber schweigende Liebe meines Vaters und die Zuneigung eines Hundes, einer Dänischen Dogge.

Als Jugendlicher begegne ich einem Maler und Philosophen, mit dem mich eine sehr schöne Freundschaft verbindet. Vom Alter her könnte er mein Vater sein, aber er überschreitet die Grenzen nie. Die Freundschaft, die uns verbindet, ist wirklich einzigartig. Diese Freundschaft und die Beziehung zu meinem Onkel hilft mir darüber hinweg, dass ich keine Mutterliebe und Familienzuneigung erhalten habe.

Ich irre ohne Gott während mehrerer Jahre in dieser Welt umher. Ich erkläre alles. An das ewige Leben glaube ich nicht. Der Stolz zu leben erfüllt mich. Ich bin berufen, in meiner Umgebung Gutes zu tun. Ich kann nicht gleichgültig bleiben gegenüber dem Unglück und Leiden meines Nächsten. Mittlerweile bin ich Künstler des Guten, das ich reichlich spende, und das gibt mir Sicherheit. Es bedrückt mich hingegen, dass ich kein objektives Unterscheidungsvermögen mehr besitze.

Bald lerne ich ein junges Mädchen kennen. Die Zuneigung ist gegenseitig, und wir beschließen, uns für Spaziergänge und Diskussionen wieder zu treffen, damit wir uns näher kennen lernen können. Wir stammen beide aus ganz verschiedenen Elternhäusern, aber das führte zu keinen Problemen.

Nach einigen Monaten beschließen wir, uns zu verloben. Jedoch trennt uns eine wichtige Tatsache: Meine zukünftige Verlobte ist Christin. Ich bin kein Christ und will es auch nicht werden. Und doch will ich dieses junge Mädchen nicht verlieren, und sie weigert sich, ohne Gott zu leben.

Trotz dieses Problems verloben wir uns und machen uns auf den Weg zur Hochzeit. Die Situation wird schwierig. Meine Verlobte wünscht unsere Ehe unter das Angesicht und den Schutz Gottes zu stellen und das durch eine religiöse Segenshandlung zu untermauern, was ich klar ablehne. Ich erachte eine religiöse Zeremonie für unsere Verbindung als unnütz und will vor allem kein religiöses Gebäude betreten.

Das Problem ist folgenschwer für beide, da wir vollkommen verschieden denken. Ich liebe meine Verlobte und wünsche sie sehnlichst als Ehefrau. Wir entscheiden uns deshalb, uns eine Zeit lang zu trennen. Während dieser unbestimmten Zeit wollen wir keinen Kontakt zueinander aufnehmen. Wir treffen uns zufällig anlässlich einer Gemäldeausstellung wieder. Es wird uns klar, dass wir beide immer noch von unserer Liebe überzeugt sind und dass wir das Verlangen haben, unsere beiden Leben zu vereinen.

Wir nehmen unsere Beziehung und das Heiratsprojekt wieder auf. Während der Zeit des Überdenkens hatte meine Verlobte eine Idee, die sie mir unterbreitet. Sie kennt einen Pilgerort im Wallis, wo ein Eremit, ein benediktinischer Mönch, lebt. Dieser Mönch hat seine Bruderschaft von Maredsous in Belgien verlassen, um als Einsiedler zu leben. »Warum wollen wir unsere Heirat nicht in dieser Grotte mit diesem Mönch als Mittler segnen lassen?«

Ich höre auf den Vorschlag meiner Verlobten. Ich weiß, dass sie es ernst meint, und dass sie bereit ist, mit unserer Beziehung endgültig Schluss zu machen, wenn ich ihr eine negative Antwort gebe. »Eine Grotte«, denke ich, »warum nicht, das ist keine Kirche.« Ich willige ein und sage mir, dass dies ein unangenehmer Moment im Leben sei, aber dass ich wenigstens meine Verlobte nicht verliere.

Während der Heiratsvorbereitung nimmt mich der Eremit so auf, wie ich bin: Gottesleugner, Kirchen- und Religionsverächter. Nach der Heirat hinterlässt er meiner Gattin eine Botschaft: »Bete für deinen Ehemann und warte auf Gottes Zeit.«

Ich muss sagen, dass mein Elfenbeinturm durch das Nachgeben an diesem Tag einige Stöße erhalten hat. Ich bin erstaunt, dass ein Geistlicher ein solches Ausmaß an Aufgeschlossenheit besitzt, dass er mich nicht richtet oder mit moralischen Vorhaltungen überhäuft. Erst später ist mir die Wichtigkeit seiner Botschaft an meine Frau, und wie sie für Gott Stellung bezog, klar geworden. Gottes Absichten sind unergründlich.

Römer 11,33: *Wie unerschöpflich ist Gottes Reichtum! Wie tief ist seine Weisheit, wie unermesslich sein Wissen! Wie unergründlich sind seine Entscheidungen, wie unerforschlich seine Wege!*

Hervée

Ich wurde in einer katholischen Familie im Schweizer Wallis geboren, die sich, wie die meisten Familien in den Dörfern dieser Gegend, sehr treu an die Traditionen der Kirche hielt. Da waren die Familien wie Sippen.

Meine Kindheit und Jugend sind eingebettet in den Katholizismus. Die Jahre fließen glücklich und geschützt dahin, geprägt von Arbeit und Studium mitten in einer Familiengemeinschaft. Sehr früh lerne ich glauben und beten. Die tägliche Begegnung mit einer Frau des Gebets, nämlich meiner Großmutter mütterlicherseits, ist ein prägendes Element meiner Kindheit. Sie ist eine Frau mit gleichzeitig freiem und solidem Glauben. Wir leben beide in einer innigen Gemeinschaft, die kaum durch Worte ausgedrückt werden kann. Eines Tages lädt sie mich ein, in ihr Schlafzimmer zu kommen, dort vertraut sie mir ein Geheimnis an. Sie besitzt ein kleines Buch, gut versteckt in ihrem Nachttisch: die Bibel, ihre tägliche Lektüre. Sie erklärt mir, dass sie eigentlich kein Recht habe, eine Bibel zu besitzen, und ich solle ja niemandem davon erzählen. Ich bin die Einzige, die ihr Geheimnis kennt. Das ist ein Geschenk Gottes für mich.

Meine Eltern führen mich in den traditionellen katholischen

Glauben ein. Meine Großmutter mütterlicherseits weckt meinen Geist für eine lebendige Beziehung zu Gott. Sie erklärt mir aus der Bibel die Forderung zu lieben. Jeden Tag liest sie mir einen Teil daraus vor und spricht darüber. Oft geschieht das auf langen Spaziergängen im Wallis. Ich behalte diese schöne, anspruchsvolle und lebendige Zeit in sehr guter Erinnerung.

Meine Großmutter väterlicherseits, die glücklich ist, eine gläubige Enkelin zu haben, spricht im Gegensatz dazu von der heiligen Überlieferung. Sie ist brennende Katholikin, die sich treu an die Gebote und Weisungen hält und an eine Sammlung von Medaillen, Bildern, verschiedenen Heiligenstatuen und Rosenkränzen festhält. Obwohl ich noch ein Kind bin, spüre ich innerlich das Belastende dieser Frömmigkeit, kann es aber nicht ausdrücken. Ich höre ihr aus Ehrfurcht zu, bin aber im Innern dankbar, dass ich ihr weniger oft begegne als meiner Großmutter mütterlicherseits.

Mit fünf Jahren trete ich in die Schule ein. Dank meinen Eltern kann ich schon lesen, schreiben und rechnen. In den ersten drei Schulmonaten befolgen meine Eltern den Rat der Schulleitung und des Priesters, mich für die erste Kommunion vorzubereiten. So erhalte ich schon kurz vor meinem sechsten Geburtstag die erste Kommunion im Jahr 1938, und ich erinnere mich sehr genau daran. Ich bin glücklich. Eine einzige Wolke schwebt über dem Glück: Warum bin ich die Einzige, die dieses Ereignis in meinem Alter schon erlebt? Alle Knaben und Mädchen in meiner Umgebung sind zehn oder mehr Jahre alt. Ich verstehe diesen Unterschied nicht. Auf meine Fragen erhalte ich nur eine Antwort: »Du warst bereit dazu.« Ich denke, dass ich in jenem Alter weder den Sinn dieses Satzes, noch das, was ich als Ungerechtigkeit empfand, verstanden habe. Auf jeden Fall gewinnt die Freude rasch die Oberhand. Diese Freude herrscht auch in der Familie vor, was einem Kind von sechs Jahren große Sicherheit gibt.

Man muss verstehen, wie wichtig die erste Kommunion für den

katholischen Glauben ist. Die Kommunion ist das zweite vorgeschriebene Sakrament, bei dem die Kinder in verschiedene institutionelle Dogmen eingeführt werden. Sobald sie das Sakrament erhalten haben, müssen sie verschiedene Verpflichtungen einhalten. Sie werden eingeladen, das Sakrament häufig auszuleben. Das Sakrament der Kommunion zieht sehr rasch ein anderes Sakrament nach sich, nämlich das der Beichte.

1938 gibt es im Wallis eine Note für Religion im Schulzeugnis. Wir erhalten diese Noten je nachdem wie oft wir die Messe besucht und die Sakramente ausgeübt haben. Diese Betrachtungsweise kann den allgemeinen Notendurchschnitt senken. Wir haben eine Verpflichtung, die uns keine Alternative lässt. Man lehrt uns, dass dieses Sakrament ein neues Leben gibt, eine neue Dimension, und dass das Messopfer die Welt beschützt und im Stillen erleuchtet. Man lehrt uns auch, dass das Brot wirklich der Körper von Jesus sei und der Wein sein Blut, und dass der Priester allein die Erlaubnis habe, diese Materie umzuwandeln, die nachher zu Jesus selber werde. Als Kinder werden wir mit einem Geheimnis konfrontiert, das unser Verständnis völlig übersteigt. Wir lernen, die Hostie in der Gemeinschaft der Heiligen mit der zärtlichen Liebe Marias zu empfangen und so in unsere Herzen aufzunehmen.

Diese «Eucharistie» setzt ein reines Herz voraus, was nach einem vorausgegangenen Sündenbekenntnis und einer tiefen Ehrfurcht gegenüber allem verlangt, was als heilig gilt. Dieses Mysterium hat den Grund gelegt für viele mündlich überlieferte Legenden, die während der langen Winterabende in den Familien erzählt wurden. Diese Legenden halten in uns eine gewissen Ehrfurcht wach und wecken gleichzeitig unsere Neugierde.

Während der Vorbereitung zum Empfang des Sakraments hat man uns nie etwas von gemeinsamer Erinnerung oder brüderlicher Gemeinschaft gesagt. Für das Kind, das nach Wahrheit sucht, bedeutet jede Eucharistie ein bedrückendes Erlebnis, und ich war jeweils erleichtert, als ich endlich das letzte Wort der Messe hörte. Das von der Gnade berührte Kind sucht das Licht mitten in diesen Praktiken und dem, was dazu gehört. In der Tat bekommt jedes anlässlich der ersten Kommunion sein Messbuch, seinen Rosenkranz, seine Medaille von Maria, sein Kreuz, seine goldene Kette etc. Zum großen Bedauern gewisser Mitglieder meiner Familie habe ich alle diese wichtigen Attribute verloren und zeigte darüber nicht einmal Reue. Sie wurden zum Glück nicht ersetzt. Meine Großmutter mütterlicherseits lachte fröhlich, als sie vom Verlust dieser Objekte hörte. Als die Angelegenheit offen zur Sprache kam, beruhigte sie die aufgeregte Diskussion.

Während der ganzen Unterweisung spricht man nicht von der biblischen Botschaft. Die Folge dieses Unterrichts ist ein Jesus, der nicht fassbar ist, sondern er bleibt derjenige, vor dem man sich sklavisch verbeugt. Und dabei sind Kinder doch begierig und glücklich, Jesus endlich in ihre Herzen aufzunehmen. Sie hören davon und unterwerfen allem, was gezeigt und verlangt wird.

Die Jahre vergehen. Ich werde zehn Jahre alt und bin voller Fragen. Ich realisiere, dass ein Unterschied besteht einerseits zwischen dem, was man mir von Gott erzählt und zum Lesen und Studieren gibt, und dem täglichen Leben andererseits. Gewisse Handlungsweisen des Dorfgeistlichen, der praktizierenden Katholiken unserer Gegend und der religiösen Unterweisung wecken viele Fragen in mir. Aber in jener Zeit (1941-1942) stellte man keine Fragen. Man akzeptierte, man gehorchte, und man war überzeugt vom einzigartigen und ewigen Wert der katholischen Religion.

Im Schoß unserer Familie können wir aber frei sprechen. Unsere Eltern hören auf uns und ihre Antworten zielen darauf, uns zu beruhigen und uns auf dem geraden Weg zu halten, was ich erst später realisiere. Ich erinnere mich an ihren Schlüsselsatz:

»Die Fehler der Priester und Ordensleute verstecken wir unter einem königlichen Mantel.« Oh, dieser Satz ... er wird oft zu einer Last für mich und weckt einen geistlichen Kampf. Ich trage deswegen meiner Familie nichts nach. Ihre Absichten sind im Grunde genommen lobenswert. Ich denke, dass sie die Folgen dieses Satzes nicht realisierten. Und doch hatte dieser Satz gewisse Folgen. Zuerst einmal der feste Entschluss, die wöchentliche Unterweisung unseres Priesters nicht mehr zu besuchen und damit zu zeigen, dass ich kein Vertrauen mehr in diesen Mann und in seinen Unterricht habe. Ich beschliesse, ihm nachzuspionieren, um zu entdecken, wo er gewisse Nächte verbringt. Zusammen mit meinem Bruder lege ich mich auf die Lauer. Dieser arme Mann reagiert sich ab, indem er in einen Nachtclub tanzen geht. Er trägt dabei natürlich keine Soutane, sondern einen eleganten Smoking. Bis vier Uhr morgens tanzt er und um sechs Uhr vollzieht er die Messe, der wir täglich beiwohnen und wo wir die Eucharistie empfangen, diese Hostie, welche durch den Priester geheiligt wird. Zwar lehrt man uns, dass der Priester die Macht hat, die Hostie in Jesus zu verwandeln, und dafür müsse er von Sünden frei sein. Was geschieht nun also? Eine ganze Unterweisung fällt in sich zusammen und stimmt mit der Wahrheit nicht überein! Diese Situation ist für mich nicht nur verwirrend, sondern schockierend. Wem und was soll man glauben? Und dieser königliche Mantel, der die Sünden der geweihten Männer verstecken soll, heisst das, die Sünde einfach zuzulassen? Was für eine merkwürdige Moral, und was für eine Verwirrung für das Kinderherz, wenn es auch nur ein wenig nachdenkt ...

Wir sprechen darüber mit unseren Eltern, und die Situation klärt sich ohne Skandal, aber mit vielen Fragezeichen für uns junge Leute. Der Priester wird versetzt, und die Verantwortlichen hoffen zweifellos, dass wir uns vom Schock erholen. Das heisst, einfach über eine so wichtige Sache hinwegzugehen. Diese Haltung des Vertuschens ist verständlich im Schoss der religiösen Walliser Kultur jener Zeit. Das Wallis steht nämlich unter bischöflicher, kirchlicher und herrschaftlicher Macht. Niemand kann sich ohne Folgen dieser Autorität widersetzen. Beachten wir, dass diese religiöse, kräftige Autorität mitverantwortlich ist für die spätere wirtschaftliche Entwicklung des Wallis, auf die Industrie, die Kultur.

Treu im Beten kehre ich zurück zu einer persönlichen Beziehung mit Gott. Ich bin zu jung, um die Gnade des Herrn in meinem Leben zu erkennen. Trotz dieser abwegigen Erlebnisse werde ich immer katholischer. Ich bleibe überzeugt, dass nur die katholische Religion die wahre ist und das Heil vermitteln kann. Alle anderen Glaubensformen sind für mich falsch. Schon in jungen Jahren bin ich wegen meiner katholischen Wurzeln daran gebunden. Alle Situationen und aufbrechenden Fragen müssen sich dieser Überzeugung unterordnen.

Im Alter von 18 Jahren werde ich mit folgenschweren und bemühenden Tatsachen konfrontiert, die sich unter der katholischen Priesterschaft abspielen, und ich fasse den Entschluss, mich von dieser Institution zurückzuziehen. Ich will sie zwar nicht ganz verlassen, aber meinen Glauben unabhängig davon leben. Ich habe die geheime Hoffnung, einen anderen katholischen Ort zu finden.

Ungefähr in jener Zeit ergibt sich für mich die Gelegenheit, eine Bibel zu erhalten, ein damals den Katholiken verbotenes Buch. Im Jahr 1950 finde ich nämlich das Buch meiner Großmutter, die schon vor einigen Jahren zu ihrem göttlichen Vater heimkehrte. Mit welchem Hunger lese ich darin! Ich erinnere mich, dass mir bei der ersten Lektüre der Gegensatz zwischen Altem und Neuem Testament markant aufgefallen ist. Ich will nun unbedingt die beiden Bibelteile miteinander vergleichen.

Es kommt der Tag, an dem ich aus beruflichen Gründen das Wallis verlasse. Am neuen Ort besuche ich eine katholische Kirche, die ich einige Male aufsuche. Bald merke ich aber, dass ich von neuem den gleichen unlösbaren Fragen gegenüberstehe. Gestärkt und bereichert durch das regelmäßige Bibellesen stellen sich mir vor allem zwei Fragen: Entsprechen diese Praktiken dem Wort Gottes? Wo ist die Wahrheit? Und doch bleibe ich dem Katholischen verbunden. Die Wurzeln dieser Religion halten mich nicht nur in einer beschränkten und blinden Treue gebunden, sie lassen mich auch in der Tiefe unbefriedigt.

Ein geistiges Missbehagen treibt mich zu Jesus Christus. Aber das ist kein angenehmes Leben. Zum Teil hänge ich immer noch an meiner Religion. Doch habe ich seit langem eine ganze Anzahl von Praktiken und Attribute beseitigt wie Rosenkränze, Medaillen, Bilder, Litaneien, Kerzen, Prozessionen, etc.

Und ich bleibe doch katholisch. Zu dieser Zeit begegne ich evangelischen Christen, die von sich sagen, sie seien zu Jesus Christus bekehrt. Ich höre ihnen gerne zu. Es ist ein Reichtum und eine Freude. Wir reden ja die gleiche Sprache. Wir sprechen von einem Jesus als Retter und nicht von einer Kirche, noch von einer erlösenden Religion. Erklärungen werden mir für meine Fragen angeboten. Etliche Male sehe ich mich vor eine Wahl gestellt: Verlass deine Religion, verlass den Katholizismus.

Aber dies bereitet mir schreckliche Qualen! Nein, ich kann nicht. Den Katholizismus verlassen? Nein. Ich wäre eine Verräterin. Was würde mir bleiben? Das Nichts. Ich bin so gebunden durch meine katholischen Wurzeln, dass ich glaube, außerhalb dieser Religion würde nur der Abgrund auf mich warten. In meiner Verblendung bin ich überzeugt, dass man Gott verrät, wenn man den Katholizismus verlässt.

Welche Verwirrung! Welche Probleme! Aber der Herr ist mir weiterhin gnädig, so dass ich durch das Gebet mit ihm in Verbindung bleiben kann. Er fährt fort, mich zu beschützen, indem er mir Mut macht, zu meinen Entscheidungen zu stehen und eine gewisse Einsamkeit zu ertragen, die mich ausgrenzt.

Die Verantwortlichen in den katholischen Kreisen sind zufrieden, wenn man keinen allzu großen Wirbel verursacht. Die Person wird zwar an den Rand gedrängt, solange sie aber in der Herde bleibt, bedeutet sie keine Gefahr. Der Tag wird kommen, wo sie sich wieder ganz in die Herde und in die Masse einfügt.

Glücklicherweise schaut der Herr auf unser Herz. Er kennt unsere tiefsten Motive. Er verlässt die Menschen nie, die ihn mit aufrichtigem Herzen suchen (Psalm 9,11).

Ich erinnere mich immer wieder an die Worte des Propheten Jeremia (5,3): »*HERR, sehen deine Augen nicht auf Wahrhaftigkeit?*« und Sprüche 12,22: »*Falsche Lippen sind dem HERRN ein Gräuel, wer aber die Wahrheit übt, gefällt ihm wohl.*« Diese Worte hat mich der Herr auf gnädige Weise mein ganzes Leben lang erfahren lassen.

Das alles war sehr tröstlich. Und doch verstand ich, dass ich diesem Gott Gehorsam leisten musste, der mich liebte und mir seine Liebe offenbarte. In jenem Moment sah ich noch nicht klar oder lehnte es sogar ab, mich den Konsequenzen zu stellen.

Hervée im Klostergarten (nach ihren ersten Gelübden)

Die Begegnung

So vergehen einige Jahre. Ein interessanter Beruf, Freizeit, Freundschaften, aber immer auf der Suche nach Gott, nach der Wahrheit.

Eines Tages bittet man mich um einen Hausdienst, außerhalb meiner üblichen Verpflichtungen. Ich sage zu. Dieser Dienst bedeutet, dass ich ungefähr einen Monat lang einen täglichen Besuch bei einem jungen Patienten machen muss, den man mir als sehr nervös und schwierig zu behandeln beschreibt. Er leidet an einer akuten Infektion.

Beim ersten Besuch in dieser Familie finde ich einen sehr geschwächten jungen Mann vor. Er erweist sich sehr bereitwillig für die Behandlung, was mich freut. Jede Begegnung bietet Gelegenheit zu einem interessanten Gespräch.

Wenn ich mit ihm allein bin, merke ich, wie sich ein neues Gefühl in meinem Herzen regt. Was geschieht mit mir? Ich möchte diesen Mann lieb haben. Es ist wie ein innerer Befehl, ein Ziehen, das mir sagt: »Liebe diesen Mann.« Ich bleibe aber diskret und lasse diese innere Veränderung über mich ergehen. Es geht vor allem um einen Patienten und seine Heilung. Alles andere später!

Die Heilung tritt ein. Die Behandlung ist abgeschlossen. Ein Erholungsaufenthalt soll sich anschließen. Als ich ihn mit den besten Wünschen für gute Erholung verlasse, fragt er mich, ob wir uns nicht von Zeit zu Zeit für einen Spaziergang und Gespräche treffen könnten. Ich sage ja und bin aufrichtig erfreut. Darauf habe ich gewartet.

Trotzdem bringt mich diese Tatsache irgendwie aus der Fassung, ich muss unbedingt Klarheit bekommen. Mein geistlicher Ratgeber ist ein Mönch, den ich anrufe und ihm die Situation unterbreite. Er kennt mich gut. Er weiß davon, dass ich auf ärztliche Anweisung keine Kinder haben kann und deshalb den Entschluss gefasst habe, nicht zu heiraten, sondern später nach Indien zu reisen, um dort den Ärmsten zu helfen. Ich habe auch schon die ersten Schritte in diese Richtung unternommen. Aber ich will verstehen, was mich zu diesem Mann hinzieht, obwohl uns doch alles trennt. Zuerst einmal sein fehlender Glaube, denn er hat mir während eines Gesprächs erklärt, dass er Atheist und kirchenfeindlich sei. Er verneint die Existenz Gottes und sagt, dass die Religion Opium für das Volk sei. Nach langen Gesprächen und nachdem er zum Herrn gebetet hat, sagt mir mein Berater: »Dieser Mann ist ein verirrtes Schaf. Verzichte auf die Mission in Indien und sag ja zur Mission, die sich hier vor dir auftut. Lies nochmals das Gleichnis vom verirrten Schaf.«

Das war ein fürchterlicher Schlag! Meine schönen Projekte, eine wohl vorbereitete Reise ... alles sollte ich abbrechen und darauf verzichten? Ich brauche Zeit zum Überlegen ... Die Überzeugung ist da, tief in meinem Herzen: Ich wünsche diesen Mann zu lieben. So treffen wir uns regelmäßig zu Spaziergängen und Zeiten des Gedankenaustausches und lernen uns so näher kennen. Einige Monate später gesteht er mir seine Liebe und bittet mich, ihn zu heiraten. Er verlangt keine sofortige Antwort. Das Problem für mich zeigt sich von einer anderen Seite. Er leugnet Gott. Ich kann ihn unter diesen Umständen nicht heiraten. Aber ich liebe ihn doch.

Eines Tages bittet er mich, die Hochzeit ernsthaft ins Auge zu fassen. Ich antworte ihm, dass ich ihn nicht heiraten kann, wenn er weiterhin Gott zurückweist. Ich will, dass unsere Ehe gesegnet ist, und verlange, dass sie unter Gottes Aufsicht gestellt wird. Er weist das entschieden zurück. Er kann nicht verstehen, dass es notwendig ist, unsere Ehe unter Gottes Segen zu stellen. Er wird niemals eine Kirche betreten. Was für ein Dilemma! Wir stehen vor einem unlösbaren Problem. Wir beschließen, uns für eine gewisse Zeit zu trennen, um alles zu überdenken.

Mich beschäftigen sehr viele Fragen. Ist das wirklich Gottes Wille? Ohne jeden Zweifel liebe ich diesen Mann, und er liebt mich. Ich mache die Erfahrung, dass ich Gott alles hinlegen kann. Er versteht es so gut, mich recht zu führen. Manchmal ist es überaus schwierig, den Willen Gottes zu erkennen. Und doch: Wenn wir ihm alles hinlegen, antwortet er und führt uns sicher. Wir wollen uns durch die guten Absichten des himmlischen Vaters überraschen lassen. So überschreiten wir unsere eng gesetzten menschlichen Grenzen. Wenn wir es fertig bringen, ihm völlig gehorsam zu sein, gibt er uns Gewissheit und die Kraft, nach seinem Willen das zu vollbringen, was von uns erwartet wird. Dazu muss man ein aktives und regelmäßiges Gebetsleben entwickeln. Man muss lernen, den eigenen Überlegungen und Gefühlen gegenüber misstrauisch zu werden und wachsam zu sein in den unvermeidlichen Kämpfen, die durch den Teufel provoziert werden, und Geduld zu üben und zu versuchen, immer in der Liebe zu leben.

Zufällig treffen wir uns einige Wochen später wieder und stellen fest, dass unsere Liebe noch stark und wahrhaftig ist. Dieser Mann will mich nicht verlieren. Ich bin bereit, den Willen des Herrn anzunehmen, habe aber anderseits auch die tiefen Reichtümer entdeckt, die sich im Herzen meines Verlobten verstecken. Auch wenn diese Reichtümer überdeckt sind von falschen Überlegungen, Schlussfolgerungen und verschiedenen Verletzungen. So ist es meine größte Sorge, sorgfältig in diesem Innern zu forschen, mit der Hilfe Gottes die Schlacken zu entfernen und ihm all das Schöne vor Augen zu führen, das er besitzt, damit er sich heilen lässt. So erfahren wir beide wirkliche gegenseitige Liebe.

Wir beschließen, uns wieder zu sehen und die Hochzeit zu planen. Während dieser Zeit bekomme ich eine Idee wegen der kirchlichen Segnung unserer Ehe. Ich kenne im Wallis einen Wallfahrtsort, dort lebt ein Mönch in einer Grotte. Er ist zwar Mönch, aber er hat sich von seinem Orden gelöst und lebt als Einsiedler. Ich schlage meinem Verlobten diese Möglichkeit vor, unsere Heirat dort segnen zu lassen, und er nimmt den Vorschlag an. Was ich nicht kenne, ist sein innerster Gedanke, den er mir später gesteht: »Eine Grotte ist ja keine Kirche. Es ist zwar schlimm für kurze Zeit, aber so verliere ich meine Verlobte nicht.«

Vor unserer Heirat fasst er einige wichtige Entschlüsse. Er hört auf mit seinem weltlichen Leben und seinen lockeren Bekanntschaften, die ein Hindernis für unsere Beziehung waren. Der Ordensbruder, der unsere Heirat segnet, empfängt ihn freundlich und verurteilt ihn nicht. Mein Verlobter spricht mit ihm und lässt ihn über seine Situation und seine Überzeugungen nicht im Unklaren. Dieser Geistliche hinterlässt mir eine Botschaft: »Bete für deinen Gatten. Wenn der Tag Gottes da ist, wird er in eine Kirche eintreten.«

Und so beginne ich mit diesem ständigen und stillen Gebet zu Gott für meinen Mann. Ich staune immer wieder über sein «evangelisches» Handeln trotz seiner abweisenden Haltung Gott und seinem Wort gegenüber. In seinem Innern besteht ein Konflikt, aber er kommt damit zurecht.

Am Anfang unserer Ehe lege ich jeweils in bester Absicht einen Vers aus der Bibel an seinen Platz am Tisch. Aber nach einiger Zeit erkenne ich, dass ihn dies belästigt und dass es wohl mehr schadet als nützt. Ich höre damit auf und erhalte einen anstrengenden Unterricht: Besser beten und dem göttlichen Herrn voll vertrauen. Das ist allerdings nicht immer leicht. Wir Menschen wollen stets sofort ernten ... Ich füge mich also der Geduld Gottes.

Nur selten besuche ich die Kirche im Dorf und praktiziere meine Religion nur gelegentlich, um meinen Mann dadurch nicht zu verletzen. Diesbezüglich hat er seine Grundsätze: »Praktiziere, wenn du willst, aber diskret, und ich will dich nie in einer Kirche sehen.« Es bleibt mir nur das Gebet, die Lektüre der Bibel, erbauliche Literatur und was ich diesbezüglich in der Tageszeitung finde.

Es ist für mich keine leichte Zeit. Ich bin noch jung, habe keine große geistliche Erfahrung und keine Verbindung mit Brüdern und Schwestern. Es ist eine trockene Wüste, aber auch eine solide Erfahrung im Vertrauen auf Gott allein. Ich wünsche niemandem den Weg durch eine solche Wüste ohne die ständige Hilfe des himmlischen Vaters. Es gibt Augenblicke des Zweifels und der Angst. Die Kritiken und Verurteilungen der Nächsten müssen ertragen werden, genauso wie der Druck und viel Unverständnis der Behörden der katholischen örtlichen Kirchgemeinde. Wohlmeinende Menschen raten mir sogar zur Scheidung.

Das Schönste ist die Geburt unseres Kindes. Dieses Kind ist ein Wunder, denn medizinisch gesehen kann ich doch gar keine Kinder bekommen, und wir kämpfen sechs Monate lang mit den Ärzten, um es behalten zu können. Wir kämpfen gegen die Überzeugungen der Wissenschaft. Dabei habe ich immer die Gewissheit, das Ende der Schwangerschaft gesund zu erreichen und unserem Kind das Leben zu schenken. In meinem Herzen hoffe ich, dass diese Erfahrung meinen Mann zu Gott führt.

Es ist eine schwere Frühgeburt, aber Mutter und Kind bleiben am Leben. Die Ärzte sprechen von einem Wunder. Der Vater ist stolz, was verständlich ist. Er hat diese Zeit in einer völligen Verunsicherung zugebracht. Die Ärzte hatten ihn zu sich gebeten und ihm die Lage aus medizinischer Sicht erklärt. Gemäß ihren Aussagen glichen wir einem Schiff, auf das der Schiffbruch wartet. Er musste sich darauf vorbereiten, uns beide zu verlieren. Nur eine geringe Wahrscheinlichkeit bestand, Mutter oder Kind am Leben zu erhalten. Für ihn hatte der Herr allerdings nichts mit dem Wunder zu tun. Später hat er mir gestanden, dass ihm mein Glaube während dieser schweren Zeit großen Eindruck gemacht habe, aber dass er die Sache bald als erledigt betrachtete.

Unser Sohn wächst heran. Ich übernehme die Verantwortung für seine christliche Erziehung. Er besucht die katholische Kirche. Gezwungenermaßen begleite ich ihn, obwohl ich die Praktiken dieser Religion nicht gutheiße. Ich bin sogar überzeugt vom Irrtum der Lehre. Ich weiß, dass diese Dogmen und Praktiken uns von Gott entfernen und zu ersticken drohen. Der wahre Glaube ist etwas ganz anderes. Ich habe kein Verlangen mehr nach all diesen von Rom auferlegten Anordnungen.

Eines Tages ergibt sich dank göttlicher Vorsehung ein Kontakt mit einem evangelischen Pfarrer. Ich unterbreite ihm meine Fragen und unsere Situation. Er sagt mir, dass eine Reihe evangelistischer Vorträge vorbereitet werden, und ich sollte versuchen, meinen Mann dazu einzuladen und uns zu begleiten. Seit einiger Zeit mache ich die Feststellung, dass die philosophischen Überzeugungen meines Mannes rissig werden. Als ich ihm vorschlage, an diesen Abenden teilzunehmen, willigt er tatsächlich ein. Am letzten Abend erhebt er sich und bittet darum, dass man für ihn betet.

Als wir gegen Mitternacht nach Hause zurückkehren, erlebt er in diesem Moment einen fürchterlichen Kampf. Unser Sohn schluchzt. Ich muss ihn trösten, ihn stärken und beim Kampf meines Mannes dabei sein. Der Teufel will seine Beute nicht loslassen, aber Gott ist Sieger. Roland erlebt eine tiefe Reue, die weit über das Gewöhnliche hinausgeht. Er weint lange. Wir sprechen und beten zusammen. Er wird durchströmt von einem außerordentlichen Frieden. Sein Gesicht leuchtet. Sein Blick ist strahlend und friedlich.

In den darauf folgenden Tagen bemerken mein Sohn und ich, dass Roland Glauben und Freude im Übermaß erhalten hat, und dazu einen unersättlichen Hunger nach Gott. Er beginnt mit der Lektüre der Bibel und einem wöchentlichen Unterricht. Er lässt keine biblische Konferenz aus und lebt in der Freude Gottes. Alle seine verdeckten Reichtümer kommen hervor und breiten sich aus. Er gleicht einer Blume, die nicht verwelkt, und ist wie ein reiches Erntefeld. Zwei Jahre folgte er einem Bibelkurs und besucht eine evangelische Gemeinde. Wir begleiten ihn und werden ebenfalls bereichert. So vieles ist anders im Vergleich zu unserer katholischen Tradition.

Nach zwei Jahren schlägt uns die Versammlung vor, uns durch Untertauchen taufen zu lassen. Dieser Vorschlag bringt mich zum Nachdenken, aber ich kann ihn für mich nicht annehmen. Trotz der Gegenwart Jesu in meinem Leben, trotz aller ungelösten Fragen zum Katholizismus, trotz der Distanz zur katholischen Kirche und ihrer Praktiken bin ich katholischer denn je. Ich verstehe nicht, dass wir unsere kirchliche Taufe verleugnen, unsere Wurzeln verraten und, aus meiner Sicht, Gott verraten sollten. Ich bin ernsthaft an meine katholische Tradition gebunden. Ich bleibe trotz allem überzeugt, dass diese Kirche die einzige Vermittlerin des Heils ist. Den Katholizismus zu verlassen, bedeutet für mich, das Nichts zu wählen. Ich trete in eine neue Auseinandersetzung mit meinem Mann. Wenn man schon einmal durch eine Taufe gegangen ist, warum eine weitere verlangen? Diese Konflikte aber ändern nichts am festen Glauben meines Gatten. Er wächst und seine Treue zum Herrn, seinem Erretter, bleibt unbeschadet. Sein Friede und seine Freude bleiben unverändert.

Das Engagement
in der Kirchgemeinde

Zur gleichen Zeit hört der Priester des Ortes, wo wir wohnen, dass es Bekehrte in seiner Pfarrgemeinde gibt. Er kommt vorbei und lädt uns ein, seine Kirche zu besuchen.

Am folgenden Sonntag wohnen wir der Messe bei. Am Ausgang beeilt sich der Priester, uns zu begrüßen. Roland sagt zu ihm: »Das ist das erste und letzte Mal, dass ich hierher komme. Es ist kalt und ungemütlich. Es gibt keine Freude von Jesus bei Ihnen. Ihr ganzer Prunk ersetzt die warme Aufnahme nicht.« Sie setzen ihre Unterhaltung fort, und der Priester schlägt ihm Folgendes vor: »Sie machen sich die gleichen Überlegungen wie eine unserer Nonnen. Wollen Sie mit ihr reden?« »Warum nicht?«, antwortet Roland, aber ohne große Überzeugung.

Wir begegnen dieser Nonne und werden eingeladen, an einer Sitzung des Pastoralrates der Kirchgemeinde teilzunehmen. Wenig später werden wir gebeten, sogar Mitglieder dieses Rates zu werden. All dies wird zum Gegenstand intensiver Überlegungen. Es ist wahr, dass diese Kirchgemeinde dringend neue Kräfte, Veränderungen und dynamisches Leben braucht. Wir wollen aber unseren biblischen Quellen treu bleiben. Wir brauchen solide biblische Unterweisung. Wir informieren die evangelische Gemeinde, aus der wir unsere Kräfte schöpfen, über die angebotenen Möglichkeiten.

Geben diese Begebenheiten eine Antwort auf die Fragen nach dem Katholizismus? Diese Fragestellung ist für uns von größter Wichtigkeit. Wir sind uns bewusst, dass wir nach der Wahrheit, nach Gott suchen. Wird uns das Mitmachen in der Kirche Antworten geben auf unsere Fragen? Oder werden wir lehrhaften Irrtümern und Praktiken gegenüberstehen, die von Menschen und nicht von Gott eingesetzt wurden? Wir sprechen darüber mit dem Priester, der unsere Vorbehalte aufnimmt. Seine einzige Antwort ist, dass diese Kirchgemeinde Leute mit unserem Glauben nötig hat. Wenn wir uns darauf einlassen, müssen wir dann unsere Forderungen relativieren?

Wir begegnen der Nonne. In der Tat haben wir die gleichen tiefen Absichten, die gleichen Vorbehalte gegenüber den Lehrsätzen und Praktiken unserer Religion. Wir gestehen ihr zwar unser tiefstes Verlangen nicht, unser Familienleben und unsere sozialen Verpflichtungen Gott zu weihen. Doch nach vielen Zusammenkünften und Unterredungen beschließen wir, zusammen mit dieser Nonne etwas zu überlegen, das zwar im Leben nur unwichtig erscheint, aber in Aufrichtigkeit gegenüber Gott getan wird. Wir gründen eine Gemeinschaft, die auf das Gebet aufbaut. Deshalb investieren wir am Anfang viel Zeit dafür, den Leuten einen freundlicheren Empfang in der Kirche zu bieten.

Diese Kirche steht im Zentrum einer großen kosmopolitischen Stadt mit vielen Studenten. Die verschiedensten Leute mit zahlreichen und vielfältigen Bedürfnissen kommen vorbei. Wir sind sehr schnell mit all dem konfrontiert, aber wir wachen darüber, die Aktivitäten nicht zu vermischen, um vom sozialen Dienst nicht völlig in Beschlag genommen zu werden. Andererseits muss auf die echten Bedürfnisse eingegangen werden. Nachdem wir uns in der Basiszelle abgesprochen haben, bilden wir dreißig verschiedene Arbeitsgruppen. Jede Gruppe hat ihre Verantwortlichen und bestimmt ihre Aktivitäten selbst. Dies erlaubt es, das Besondere jeder Gruppe zu wahren. Am Anfang, nachdem die Empfangsgruppe gegründet ist, widerstehen wir standhaft den Mitgliedern der Geistlichkeit, die uns nach alter Gewohnheit raten, auf sämtliche Fragen und Begehren einzugehen. Wir weigern uns standhaft, Orchesterleute[3] zu werden. Wir müssen uns auf die wichtigsten Aufgaben konzentrieren, und das tun wir.

Im Zentrum dieser Stadt treffen wir auf zahlreiche Bedürfnisse in den verschiedensten Bereichen: Gesellschaft, Sport, Familie, Gesundheit, Depressionen, Einsamkeit, Armut, Eheprobleme, und wir müssen dazu Lösungen anbieten. Wir sind zu einer Art Brücke geworden mit vielfältigem Dienstangebot: Soziale Hilfe, Psychiatrie, Medizin, Unterricht, Wohnungsvermittlung, Hilfe für Fremde und Asylanten.

Unser Sohn ist im Studium, Roland hat seinen Beruf. Aber ich habe Zeit und engagiere mich hundertprozentig im Schoß dieser Kirchgemeinde. Roland hilft mit in seiner Freizeit. Neben der Empfangsgruppe kümmert er sich auch um die Jugendgruppe, die Sportgruppen und die Sommerlager. Unser Leben ist immer enger mit dem kirchlichen Leben verknüpft. Je nach Situation werden wir zum Bruder, zur Schwester, zum Vater oder zur Mutter.

Da wir nur ein Kind bekommen haben, unternahmen wir schon früh Schritte, um ein weiteres Kind zu adoptieren. Aber als wir all die unzähligen Bedürfnisse unserer Gesellschaft sahen, haben wir diese Bemühungen aufgegeben und beschlossen, uns auf diese Arbeit zu konzentrieren. Wir haben es nie bereut. Und unser Sohn unterstützt uns in diesem Entschluss.

Zehn Jahre verbringen wir so mit allen Verpflichtungen in der Kirchgemeinde. Es ist eine sehr bereichernde Zeit. Wir treffen uns regelmäßig mit unseren bibeltreuen Freunden, um uns an der Quelle zu stärken. Natürlich sind wir sehr oft in lehrmäßigen Fragen völlig anderer Meinung als die Priestergruppe. Wir können ihre Handlungsweise, ihr Verhalten und ihre Entscheidungen nicht immer annehmen. Wer mit einer Priestergruppe zusammenarbeitet, wird nie seine Ruhe haben. Wir stehen innerhalb der Kulissen des Katholizismus, und da ist auch nicht alles Gold, was glänzt. Gewisse Schwachpunkte sind unvermeidlich. Da finden sich Machtfülle, reine Vernunftsbeweise, ein kollektives wackliges Gewissen, Kompromisse jeder Art, Vermischungen, Weltlichkeit, einseitige Veranstaltungen für Interessengruppen und ein wenig vorbildliches leichtes Leben ... Wie viel wird da an dem eigentlichen Empfänger vorbei in die Taschen eines Priesters, eines Bischofs oder einer Gemeinschaft umgeleitet ...

Sehr oft schütteln uns grundlegende Fragen. Gemeinsam stellen wir uns ihnen und beten darüber. Wir versinken bald in ein Leben, dem Klarheit und Wahrheit von Gott fehlen. Diesem Leben fehlt auch der innere Zusammenhalt. Wir entdecken dabei viel bremsenden Flugsand. Auf jeden Fall erwiesen sich die mehrfachen Versuche als unnütz, mit den Geistlichen darüber zu sprechen. Diese Priester und Bischöfe sind sich ihrer Macht sehr sicher. Eines Tages fühlen wir uns verpflichtet, ihnen zu sagen: »Sie brauchen wohl das Elend der Welt für Ihr Leben.« Offensichtlich wollen sie das Elend und die Armut ihrer Stadt ignorieren.

Allerdings sind wir ihnen, denen bisher alles misslang, unentbehrlich geworden. Diese Situation liegt schwer auf uns. Wir kommen uns vor wie zwei Bäume, die den ganzen Wald abdecken, und das weisen wir von uns. Wir wollen in erster Linie Gott dienen und nicht in eine leere Geschäftigkeit verfallen. So beginnen wir alles zu hinterfragen. Wir sind bald davon überzeugt, unseren zahlreichen Verpflichtungen ein Ende setzen zu müssen. Wir tun zu viel des Guten. Ist das wirklich der Wille des Herrn für unser Leben?

Seit langem bewegen uns Gedanken an eine unauffälligere, umfassendere und mehr in Übereinstimmung mit der Bibel stehende Aufgabe. Damit wollen wir aber warten, bis unser Sohn seine Studien beendet und eine Stelle gefunden hat. Er kennt schon unsere geheimen Absichten und stellt sich ihnen nicht entgegen. Wir spüren ein inneres Unwohlsein. Ein tiefes Unerfülltsein drängt uns, Bilanz zu ziehen. Nach zehn Jahren Engagement in der katholischen Kirchgemeinde bewegt uns eine einzige tiefe Überzeugung: Wir wollen unseren Dienst dem Herrn Jesus allein widmen, ihm dienen und ihn anbeten.

Wir beginnen die Loslösung vorzubereiten, indem wir uns entlasten und anderen die Gruppen anvertrauen, für die wir die Verantwortung tragen. Wir müssen daran denken, uns bei allen zu verabschieden und gleichzeitig die Siebenhundertjahrfeier der Kirchgemeinde vorzubereiten. Wir haben versprochen, diese Vorbereitungsarbeiten noch zu leisten, bevor wir vor dem Beginn der Festlichkeiten weggehen. Wir wollen unsere Zukunft vorbereiten. Unser verborgener Wunsch besteht weiterhin darin, unser Leben Gott zu weihen, ihm zu dienen und viel Zeit im Gebet zu verbringen. Wir waren vielem Elend und Leid nahe. Wir haben versucht, Menschen in ihren Bedürfnissen zu begleiten und anderen beizustehen. Bei allem, was uns das Leben gegeben hat, stellen wir fest, dass in dieser Welt ein sich ausbreitender Hunger und Durst nach einer ausgeglichenen Geisteshaltung vorherrscht. Wir sind solchen Bedürfnissen gegenüber machtlos. Auch treffen wir für uns die Entscheidung, dass die Verbindung mit Gott durch das Gebet notwendiger ist und allein Früchte bringen wird.

Innerlich geführt durch diese Überzeugung, suchen wir nach Möglichkeiten, wo und wie wir das Gebetsleben intensivieren können. Wir suchen in allen uns bekannten Missionen: Mutter Teresa, Dr. Schweitzer, usw. aber keine überzeugt uns. Wir denken deshalb an die Klöster, hohe Stätten der Stille und des Gebets, der Gottsuche und der Gottesweihe, wie wir glauben. Wir profitieren von einem ruhigeren Lebensabschnitt und ziehen uns zurück, unternehmen eine Pilgerreise zu den verschiedenen Männer- und Frauenklöstern in Deutschland, Belgien, Luxemburg und Frankreich. Wir begegnen Äbten und alle nehmen unsere Vorschläge und Absichten mit Freude auf. Ist das der sich öffnende Horizont? Unser Sohn begleitet uns, lässt uns aber frei in unseren Entscheidungen.

Auf dem Rückweg besuchen wir den Zisterziensermönch, unseren geistigen Führer. Er kennt unsere evangelischen Beziehungen und unseren Lebensweg. Wir beschließen, uns für eine solche Zukunft vorzubereiten, was allerdings eine völlige Änderung unseres Lebens bedeutet. Wir sind mehr und mehr von der Richtigkeit unserer Orientierung überzeugt. Ein französischer Erzbischof interessiert sich für das, was er unsere Berufung nennt, und nimmt uns in seine Obhut. Mit ihm versuchen wir, diese Berufung richtig einzuordnen, und sehen einer endgültigen Zusage entgegen.

Unser Sohn heiratet und bezieht sein neues Domizil. Wir bitten unsere Kinder um Erlaubnis, alles zu verlassen. Unser Sohn sagt uns: »Ich habe gesehen, wie ihr lebt. Ihr seid Menschen des Gebets, solche, die Gott suchen. Wir haben nicht das Recht, euch auf diesem Weg aufzuhalten. Ihr habt mich erzogen. Ich brauche euch in materieller Hinsicht nicht mehr. Ich brauche eure Zuneigung, aber die könnt ihr mir geben, wo ihr auch seid und was immer ihr auch tut.«

Dann kommt der Moment des Abschieds von der Kirchgemeinde, in welcher wir zwar sehr bereichert wurden, aber wo allzu viele Aufgaben unsere Kräfte geraubt haben. Roland hat den Priestern die schwierigsten Fälle abgenommen. Wir wurden aber für die Lösung der zahlreichen Probleme, mit denen wir täglich konfrontiert wurden, allein gelassen. Und dazu kommt, was immer untragbarer wurde, unsere Uneinigkeit in der Lehre. Wir befürchten, alle Kraft zu verlieren. Wir bedauern absolut nichts, aber wir sind glücklich, die Mitarbeit in der Kirchgemeinde beenden zu können.

Was wir für unseren nächsten Dienst für den Herrn planen, kommt gut voran. Es handelt sich um eine Stelle für den Empfang in einem Kloster. Wir freuen uns darauf, bald ein Klosterleben führen zu können, in einem Dienst, den uns der Abt zugewiesen hat, und der den örtlichen Bedürfnissen entspricht.

Wir verlassen die Kirchgemeinde am Anfang des Jahres 1985 und orientieren uns in Richtung einer neuen Zukunft.

Unsere evangelischen Freunde informieren wir über unseren Entschluss. So sehr sie unser Engagement in der Kirchgemeinde gutgeheißen hatten, so sehr sind sie betroffen über unsere Nachricht. Sie erkennen aber, dass wir fest dazu entschlossen sind. Unsere grundsätzlichen lehrmäßigen Meinungsverschiedenheiten beunruhigen uns nicht. Wir sind überzeugt, dass im Schoß eines Klosters alles anders sein wird. Beim Abschied empfehlen sie uns, ihre Adressen aufzubewahren, was uns auch zustoßen möge. Wir könnten sie immer erreichen und sie würden auf unser Rufen antworten. So nehmen wir ihre Adressen und schieben sie in unsere Papiere. Vielleicht haben sie Recht, uns zu warnen, und sie versprechen uns, dass sie für uns zu Gott beten.

Das Engagement im Kloster

Es ist das Jahr 1984. Wir treffen uns verschiedene Male mit den Oberen einer Kongregation des Benediktinerordens. Sie teilen uns vertrauensvoll mit, dass ein Benediktinerkloster für Mönche in Frankreich dringend einen Mann mit einer Berufung wie die unsrige braucht.

Wir begegnen den Oberen dieses Klosters und pflegen intensive Kontakte, die einige Monate dauern. Wir treffen uns jedes Wochenende, um die zukünftigen Aufgaben zu umreißen und vorzubereiten.

Nach der Abstimmung durch die Ordensgemeinschaft werden wir aufgenommen. Es handelt sich für uns zwei darum, Bruder und Schwester zu werden, alles was wir besitzen, nach Anweisung und Rat des Abtes herzugeben, auch alle Verpflichtungen aufzugeben außer denjenigen gegenüber dem Kloster. Dazu sollen wir die drei Gelübde von Gehorsam, Armut und Reinheit halten. Wir müssen uns dem Vorsteher der Gemeinschaft unterstellen, also dem väterlichen Abt. Seinen Aussagen gemäß werden wir in der Gemeinschaft ein Leben des Gebets führen, werden nach der Regel des heiligen Benoît eine Unterweisung für Mönche erhalten und für die Ordensgemeinschaft arbeiten wie jeder andere Mönch. Als Hauptaufgabe werden wir einen Empfangsdienst ausüben.

Dieser neue Lebensabschnitt beschäftigt alle unsere Überlegungen und Gespräche. Wir sagen zu und legen das Datum unseres Eintritts ins Kloster auf den Frühling 1985 fest.

Alle unsere Verpflichtungen in der Schweiz lösen wir auf. Wir verteilen, was wir besitzen, und behalten nur das, was uns vom Abt, der von nun an unser Vorgesetzter ist, empfohlen wurde. Nachdem alles erledigt ist, machen wir uns bereit für die Abreise. Wir nehmen nur einige Möbel mit, Küchenutensilien, Bücher und, mit dem Einverständnis des Abtes, unser Auto für die Bedürfnisse der Gemeinschaft. Er wünscht, den Wagen für seine zahlreichen Reisen benützen zu können, sagt er uns.

So kommen wir im Kloster an und beginnen unser Klosterleben. Wir empfangen die Gäste und arbeiten nach den Anweisungen eines Vorgesetzten. Wir nehmen an jeder Messe teil. Wir werden als Bewerber betrachtet und leben in einer Probezeit von drei Monaten. Danach werden wir nach einer Abstimmung in die Gemeinschaft aufgenommen. Wir beginnen nun die eigentliche klösterliche, der Regel entsprechende Ausbildung unter Anweisung eines Mönchs der Gemeinschaft und werden Novizen. Wir erhalten auch eine Ausbildung in Ikonographie, lernen also unter der Anleitung eines dafür ausgebildeten Mönchs, Ikonen zu malen. Wir befolgen das Schweigegelöbnis und sprechen nur, wenn es uns erlaubt ist, also während des Empfangsdienstes.

Ganz von Anfang an treten wir in dieses neue Leben ein und glauben felsenfest, dass dies der richtige Weg ist. Jeder ist in seiner eigenen Zelle untergebracht. Wir haben Erfolg bei den Gästen. Es gibt viel Arbeit in den Klosterunterkünften; man muss den Leuten zuhören und sie begleiten. Wir teilen uns die Arbeit mit einem Mönch, der als Hotelier dient. Er stammt aus einem französischen Adelsgeschlecht und wurde gezwungen, Mönch zu werden, weil er im täglichen Leben nicht zurechtkam, wie wir später erfuhren. Unser Erfolg ist so groß, dass dieser Mönch eine krankhafte Eifersucht entwickelt. Nach über einem Jahr gemeinsamen Dienstes kann er seine Eifersucht nicht mehr beherrschen und überhäuft uns mit unglaublichen, unwürdigen Bosheiten. Wir lassen alles über uns ergehen. Wir empfinden Mitleid mit diesem Mann, der uns mit allen Mitteln ins Wanken bringen will. Wir lernen ihn näher kennen, weil er uns seine Probleme anvertraut.

Als wir aber erkennen, dass die Situation unhaltbar wird, beschließen wir, mit dem Erzbischof, der für unsere Berufung verantwortlich ist, darüber zu reden. Wir überlegen, ob wir das Kloster wechseln sollen. Ein großes Frauenkloster mit vielen Gästen scheint unsere Berufung zu sein. Sein Empfangsdienst ist von internationaler Bedeutung. Wir besuchen diese Klosterschwestern. Sie offerieren uns den gleichen Vertrag: Empfangsdienst, Gebetsleben, Ausübung der drei Gelübde. Etwas müssen wir allerdings überdenken: Diese Nonnen sind Mitglieder des Dominikanerordens. Wir nehmen die Unterschiede zwischen diesem und dem Benediktinerorden wahr. Die Regel ist zwar anders, aber alles passt zusammen. Wir denken, dass es eine Bereicherung sein kann, einen anderen Orden kennen zu lernen. Zudem nehmen wir an, dass eine weibliche Gemeinschaft ausgewogener ist als eine männliche.

Im April 1988 reisen wir ab in dieses neue Kloster und kommen an einen dominikanischen Ort höchster Geltung.

Von neuem erleben wir viel Gnade bei der Empfangsarbeit. Der Herr überhäuft uns mit seinem Segen. Der Bischof der Diözese hört von unserem Dienst, besucht uns und drückt uns seine Genugtuung aus bezüglich der Früchte unseres Dienstes. Ich werde Verwalterin der Hotellerie. Das erspart die Arbeit einer Nonne. Es ist eine anstrengende Arbeit, denn wir empfangen regelmäßig zwischen 50, 80 und 120 Personen. Neben einigen Einzelpersonen, die große geistliche Bedürfnisse haben, bilden wir Gruppen von 50 bis 60 Personen. Roland ist verantwortlich für die Gruppen, für deren Aktivitäten, die Unterkunft der Gäste, ihr Wohl, das Eingehen auf ihre Bedürfnisse und für die Begleitung der Gäste.

Als ich die Verwaltung übernehme, weist sie ein Defizit von 120'000 französischen Franken aus. Drei Monate später ist der Verlust getilgt, und ein Nettoüberschuss von 80'000 französischen Franken ermutigt uns. Wir haben immer mehr Arbeit und kommen auf eine Tagesarbeitszeit von 14 bis 16 Stunden. Es bleibt uns sozusagen keine Zeit mehr für die kirchlichen Handlungen und das Gebet. Wir leben die Gelübde aus, sind in strengstem Gehorsam und haben kaum Zeit, um wenigstens an der Messe teilzunehmen, die jeden Morgen um 9 Uhr zelebriert wird.

Langsam bemerken wir, dass unser Klosterleben, unser Gebetsleben und der Dienst für den Herrn flügellahm geworden ist. Wir versuchen mit den Oberen zu reden, die sich nicht an die Abmachungen halten. Aus den Gesprächen ergibt sich, dass sie vor allem an unserer Arbeit und am Gewinn interessiert sind, der in die Kassen fließt. Sie anerkennen zwar unsere Berufung, tun aber nichts, damit wir sie ausleben können. Die wirtschaftlichen Interessen sind für sie wichtiger.

Wir allerdings ermatten dabei körperlich und geistig, obwohl wir unsere Ordensgemeinschaft lieben. Einige Schwestern, mit denen wir zusammenarbeiten, vertrauen sich uns an. Wir werden mit den internen Problemen der Schwesterngemeinschaft konfrontiert – zu vielen, wie uns scheint. Sie gleichen stark den anderen, die wir schon kennen gelernt haben. Sie sind sogar auf so tiefem Niveau, dass wir nicht hineingezogen werden wollen. Wir verzichten darauf, innerlich verwundet zu werden durch Dinge, die uns nicht betreffen. Die einzige kurze stille Zeit, die jeder für sich retten kann, ist ein Moment der Bibellese, spät am Abend, nach einem langen Tag harter Arbeit.

Nach fünf Jahren Klosterleben sind wir geistlich immer unbefriedigter. Wo stehen wir eigentlich? Man lobt zwar unsere Werke; gewisse füllen die Klosterkassen, andere machen Menschen glücklich, nachdem sie sich bei Roland, meinem Klosterbruder, ausgesprochen haben; aber wo sind wir eigentlich gelandet? Wo bleibt Gott in unsern Werken?

Wir sind so erschüttert, dass wir beschließen, mit unserem geistlichen Leiter, dem Zisterziensermönch, dem französischen Erzbischof, der unsere Berufung begleitet, und auch mit dem Bischof der Diözese Kontakt aufzunehmen. Der Ortsbischof ist tief betrübt beim Gedanken an unsere eventuelle Abreise. Er erwähnt unsere Ausstrahlung in seiner Diözese durch unsere Arbeit, unsere Gegenwart und unsere Berufung, aber er fühlt sich nicht befugt, uns zurückzuhalten, falls wir verreisen wollen. Es tut ihm Leid für die Dominikanergemeinschaft, und er gesteht uns demütig, dass er den guten Einfluss, den wir auf sie haben, nicht missen möchte. Wir schildern unsere Lage dem Erzbischof und unserem geistlichen Führer. Unserer Meinung nach leben wir nicht mehr nach dem Willen Gottes.

Die Klostergemeinschaft wird über unsere Absichten ins Bild gesetzt. Sie hinterlässt aber nicht den Eindruck, darüber beunruhigt zu sein. Sie denkt wohl, es sei eine vorübergehende Krise, die man überstehen müsse. Wir führen unsere Arbeit weiter gewissenhaft aus. Die Gäste wissen nichts von dem, was uns bewegt. Währenddessen suchen wir aber weiter nach einem Ausweg. Der Zisterziensermönch, der uns seit Jahren begleitet, richtet sich im Kloster ein, um sich persönlich ein Bild von unserem täglichen Leben machen zu können. Er sieht ein, dass diese Situation nicht so weitergehen kann. Wir beten und suchen. Wir wollen den Willen des Herrn für unser Leben verstehen.

Dabei bleiben wir entschlossen, unseren Weg weiterzugehen. Das Leben im Kloster macht uns keine Angst. Die Gelübde sind nicht schwer zu halten. Im Lauf der Gespräche mit dem Zisterziensermönch öffnet sich durch ihn eine neue Türe: Warum nicht in Betracht ziehen, getrennt in einem Kloster zu leben? Wir gestehen ihm, dass wir schon daran gedacht haben, aber es nicht weiterverfolgt hätten. Ist das überhaupt möglich? Wir sind zwar Kloster-Bruder und -Schwester geworden, sind aber trotzdem Mann und Frau. Er sagt, das sei kein unüberwindbares Hindernis. Er ermutigt uns und zeigt uns die Größe und Erhabenheit einer solchen Liebe, die uns vereint. Er erklärt uns, dass es das schönste Opfer für Gott bedeutet, wenn wir uns trennen und unsere Leben Gott weihen, jeder in seinem Kloster.

Alles wird nun rasch in die Wege geleitet. Der Erzbischof ist mit dieser Lösung einverstanden, obwohl er bedauert, Berufene zu verlieren. Wir tun unseren Dienst weiter in der Gemeinschaft, die mit der Anordnung des Zisterzienser-Mönchs einverstanden ist. Während wir weiterarbeiten, wird uns einen Monat lang die Tagesbetrachtung auferlegt. Eine Äbtissin und ein Abt einer anderen Kongregation sind für diese Arbeit ernannt worden. Am Ende dieses Monats werden wir für fähig erklärt, auch diesen zusätzlichen Schritt zu tun. Wir seien mönchischer als die Mönche, hat man uns gesagt. So können wir die nächsten Schritte unternehmen.

Vor der Abreise des Zisterzienser-Mönchs schlagen wir Pflöcke für die Zukunft ein. Wir befassen uns näher mit der Verinnerlichung, die uns am meisten anspricht. Wir beten, um zu verstehen, ob alles innerhalb von Gottes Willen geschieht. Wir kennen ja viele klösterliche Orden. Es ist aber offensichtlich, dass die Regel des heiligen Benoît uns am meisten anspricht. Wir sind berührt von der Grundregel: »Ora et labora«, bete und arbeite! Wir merken, dass seit Anfang unseres Klosterlebens dieses Motto eigentlich immer unsere innere Triebfeder gewesen ist.

So unternehmen wir die letzten Schritte für den Umzug und lassen alles Material zurück, das uns für die Folgeaktivitäten unnütz erscheint. Wir warten mit dem Umzug, bis die Klostergemeinschaft eine Lösung, um uns zu ersetzen, findet. Roland wird in eine Zisterzienser-Gemeinschaft in der Schweiz aufgenommen und ich in ein Zisterzienser-Kloster in Frankreich; wir sind also 850 km voneinander entfernt.

Das Postulat von Roland[4]

Es ist Anfang 1990. Der Monat des Überdenkens ist vorbei, und ich beginne meine Kandidatur bei der gewählten Abtei. Wir kennen viele religiöse Orden, haben aber beide, Hervée und ich, mit gegenseitigem Einverständnis den Zisterzienserorden gewählt. Er hat den Ruf sehr streng zu sein. Wir denken, dass er deshalb dem Evangelium am nächsten kommt und deshalb auch die Gebote des Schöpfers strengstens befolgt.

Ich schicke meine Bewerbung dem Abt[5] des Zisterzienserklosters in der Schweiz und erhalte rasch eine Zusage, dass der Äbterat mich erwartet. Ich verlasse das französische Kloster, um dasjenige aufzusuchen, das bald das meinige sein wird. Da der Rat auch meine Gattin (religiös gesagt: meine Schwester) kennen lernen will, fährt sie mit mir in die Schweiz.

Ausgestattet mit ein paar wenigen Dingen und Dokumenten komme ich im Kloster an. Die Mönche nehmen sich sofort meiner an, und wir begegnen den Vorgesetzten. Wir werden darüber informiert, dass ich als Kandidat angenommen bin. Wir regeln mit den Vorgesetzten die administrativen Fragen, und dann verabschiede ich mich von Hervée. Ich werde sie lange nicht mehr sehen.

Ich beginne mein Postulat (Kandidatenzeit), und meine Vorgesetzten unternehmen die nötigen Schritte beim Vatikan für meinen zukünftigen Status. Rom untersucht unser vergangenes Leben, unsere Familien, unsere Mitwirkung in der Kirchgemeinde und unser fünfjähriges Klosterleben. Nach der Untersuchung erhalten die Vorgesetzten ein Indult[6] von Rom, das mir die Erlaubnis verschafft, in das Klosterleben einzutreten. Während der vergangenen fünf Jahre war dieses Indult nicht nötig, denn wir waren Mönch und Nonne im Schoß des gleichen Klosters. Heute schüttle ich den Kopf, wenn ich die Zusammenhanglosigkeit der vatikanisch-römischen Gesetze sehe, aber sie erstaunen mich nicht. Unsere Ehe wird ohne Probleme annulliert werden, weil die beiden Teile den gleichen Verpflichtungen im Schoß der Kirche nachkommen. Gemäß meinen Vorgesetzten ist dies eine Liebe, die sich vergöttlicht und sich dem Herrn anbietet. Was die zivilrechtliche Seite betrifft, haben die Klostervorsteher ihre befreundeten Anwälte, und keine richterliche oder andere Verhandlung wird zum Problem. In der Tat ist jedes Kloster autokratisch und nur von Rom abhängig. Kein ziviles oder weltliches Gesetz/Gericht ist im Kloster rechtsgültig.

Ich integriere mich schnell in dieses Klosterleben. Da ich schon während der letzten fünf Jahre so gelebt habe, bin ich gewohnt, die Gelübde zu halten. Ich beginne die Kurse der Klosterregel, die ich schon gut kenne, der Überlieferung, der Liturgie und der asketischen Moral. Man erklärt mir die Einrichtungen im neuen Kloster. Jedes hat seine eigenen Regeln und das in Übereinstimmung mit Rom. Nichts ist neu oder schwierig für mich: es ist nur eine Wiederholung. Man legt großen Wert auf den Gehorsam und die klösterliche Ruhe. Man verlangt von mir, keinen Kontakt mit der Außenwelt zu haben und keine Korrespondenz zu führen, mit wem es auch sei, Hervée eingeschlossen. Sie ist nun meine Schwester geworden, und das ein Jahr lang. Dieser Befehl gilt für alle Kandidaten laut Ordensregel. Wir müssen die Welt, aus der wir uns zurückgezogen haben, vergessen und uns Gott allein weihen.

Die Kurse, die lateinischen Messen, die Arbeit, die Unterredungen mit den Vorgesetzten folgen ohne Unterbrechung. Es ist ein vorgeschriebener Rhythmus, der den jungen Leuten schwer fällt, man muss es zugeben. Die Vorgesetzten wissen es und jede Woche wird den Anfängern eine Morgenmesse erlassen.

Was die Arbeit betrifft, müssen wir zur Prüfung verschiedene Dienste erfüllen außer denjenigen, in denen wir Fähigkeiten haben. Wir gehen also von der Küche in die Wäscherei, zu den Unterhaltsarbeiten, zum Bauernhof, etc. Nachdem ich alle diese Orte durchlaufen habe, gibt man mir den Auftrag, den Rasen zu mähen und die Zierbäume zu pflegen. Ich vernehme zufällig, dass ein für diese Arbeit wie geschaffener Bruder das Klosterleben vor kurzer Zeit aufgab. Ich pflege die Alleen und die Rasenflächen so gut, dass die Gäste dem Vorgesetzten Glückwünsche aussprechen »für die schöne Arbeit dieses Bruders«. Deshalb versetzt man mich sofort. Ich gehorche und erfahre später, dass mir keinesfalls Glückwünsche zu Ohren kommen dürfen. Man ist in Sachen Demut sehr streng.

Die Abtei besitzt ein Bienenhaus. Der Vater Prior ist dafür verantwortlich. Er wird schwer krank und kann sich nicht mehr damit befassen. Während einer Pause fragt der Vater Abt, ob nicht ein Mönch den Bienenstock übernehmen könnte. Niemand meldet sich. Da die Bitte während einer Pause und nicht während einer Zusammenkunft aller Mönche ausgesprochen wird, wage ich, mich selbst vorzuschlagen. Die Gemeinschaft ist einverstanden. Ich besitze aber keinerlei Kenntnisse auf diesem Gebiet. Man gibt mir verschiedene Bücher zum Studium, und ich mache mich mit Interesse an die Arbeit. Übrigens nimmt unser Kloster auch Drogensüchtige und Aidskranke auf, die dann auf den Feldern arbeiten. Unter diesen Aidskranken findet sich tatsächlich ein Bienenzüchter. Er wird bestimmt, mich entsprechend einzuführen.

Ich entdecke die faszinierende und anspruchsvolle Welt der Bienen. Ich interessiere mich sehr dafür, allerdings mit einer gewissen Zurückhaltung, da ich weiß, dass die Dauer dieser Arbeit ganz von den Entscheidungen der Vorgesetzten abhängt. Ich erhalte eine ausgezeichnete erste Ernte. Der Prior ist glücklich und drückt mir beim Besuch der Bienenvölker seine Freude über meinen Erfolg aus.

Die Zeit des Postulats (Kandidatenzeit) ist eine Zeit mit Privilegien. Man ist abgeschirmt gegenüber der Klostergemeinschaft und lebt in einem reservierten Flügel des Klosters. Bei der gemeinsamen Arbeit mit den Brüdern wird man immer von einem Ältesten beaufsichtigt. Es ist uns verboten, Verbindungen mit den Mitgliedern der Gemeinschaft zu knüpfen. Wir mischen uns nur in machen Pausen unter die Gemeinschaft und dürfen aus Prinzip nur dann sprechen, wenn wir gefragt werden.

Neben der Pflege der Bienenvölker muss ich mich um den Speisesaal kümmern und bin Hilfsgärtner. Die Arbeit als Verantwortlicher für den Speisesaal umfasst den Unterhalt des Saales; dazu muss ich dafür sorgen, dass die Karaffen für die Mahlzeiten immer mit frischem Wasser gefüllt sind. Für die Mithilfe im Garten stehe ich unter dem Befehl von »Bruder Gärtner«. Ich bin willig und gehorsam. Der Kontakt mit dem Bruder, der nach dem Garten schaut, erlaubt mir, gewisse interne Probleme der Bruderschaft zu erraten. Ich spreche aber mit niemand darüber. Lieber ziehe ich es vor, stiller Beobachter zu bleiben, und in mir brennt noch die Flamme des Anfängers. Dazu kommt, dass ich die gute Nachricht von Rom bekommen habe, dass ich bald eingekleidet werde. Ich bereite mich also auf den neuen Schritt vor und bin immer noch überzeugt, dass ich dem Willen Gottes gemäß handle. Ich habe gar keine Nachricht von derjenigen, die meine Schwester geworden ist, weil jeder Kontakt verboten ist. Aber ich wage zu denken, dass sie glücklich ist.

Zwangsläufig bemerke ich gewisse Dinge, die mich kränken könnten und die im Gegensatz stehen zur Regel, die man uns täglich auslegt und für die man von mir Respekt und Gehorsam verlangt. Aber ich halte mich nicht allzu sehr darüber auf. Ich will mein Postulat in Frieden leben und mich heiligen für die Einkleidung. Wenn ich mich abends in meine Zelle zurückziehe, lasse ich den Tag an meinem Innern vorbeiziehen. Die Zucht für die neuen Mitglieder ist sehr anspruchsvoll. Unsere erste Pflicht ist, die Grundsätze der Klosterregel praktisch anzuwenden. Dabei merke ich im Laufe des Tages, dass es Mönche gibt, die sich erlauben, ungehorsam zu sein. Sie schwatzen heimlich, stellen Befehle in Frage und murren. Dabei ist das Murren durch die Klosterregel ausdrücklich untersagt. Wenn wir in irgendeinem Punkt gegen die Regel verstoßen, und besonders wenn wir murren, ist es unsere Pflicht, uns am Abend bei der Culpa[7] anzuklagen und eine Strafe auf uns zu nehmen. Diese Tatsachen machen mich nachdenklich. Ich komme nicht darum herum festzustellen, dass hier irgendwo ein Unbehagen vorhanden ist, ein Mangel an Wahrheit. Ich versuche, mich nicht allzu stark damit zu beschäftigen, stelle mir aber die Frage, ob ich eines Tages auch auf Abwege geraten könnte.

Andere Situationen nehmen mich in Beschlag. Gemäß der Klosterregel sind keinerlei Freundschaften erlaubt, weder innerhalb noch außerhalb des Klosters. Aber einmal im Monat kommt eine ungefähr fünfzig Jahre alte deutsche Frau und bleibt eine gute Woche im Hotel. Während dieser Zeit verschwindet der Klostervorsteher. Alles geschieht sehr diskret, aber wir sehen sie am Morgen mit dem Wagen verreisen. Sie kommen erst am Abend zurück oder bleiben sogar zwei bis drei Tage fort. Das gibt natürlich dem Murren, dem Lächeln und den verstohlenen Blicken in der Gemeinschaft Nahrung. Sie treffen sich auch im Bienenhaus. Sie hat einen Schlüssel. Als ich nach den Bienen schauen will, verschwinden sie. Ich bin perplex, schweige aber darüber. Während diese Frau da ist, sind gewisse Mönche wütend. Das Klima ist sehr ungemütlich. Dieser Klostervorsteher ist unser geistlicher Leiter gewesen. All das beschäftigt mich natürlich sehr, aber ich versuche, es still zu ertragen.

Der momentan für die Unterkünfte verantwortliche »Vater Hotelier«, ein früherer Koch, erhält ebenfalls regelmäßig den Besuch einer Frau. Es ist das gleiche Vorgehen. Die ganze Arbeit im Gästehaus wird während dieser Zeit von einem zwar großmütigen, aber in der bizarren Situation ständig meckernden Laien geleistet. Sobald diese Frau auftaucht, sieht man den verantwortlichen Mönch nicht mehr. Er ist ständig mit ihr zusammen und existiert sozusagen nicht mehr. Ihre Verbindung bringt sie bei allen Gästen ins Gerede, und das Gerede kommt nicht nur den Oberen, sondern auch dem Bischof des Ortes zu Ohren. Man versucht von oberster Stelle aus, den Skandal zu vertuschen, und nimmt die Sache zum Anlass, die Funktionen im Kloster neu zu regeln. Kein Bruder lässt sich etwas vormachen, aber das Gesetz erfordert Schweigen, und es wird akzeptiert. In einer Zusammenkunft weist der Vorsteher indirekt auf die traurige Situation hin. Sein Ziel ist, die Fragen und das Murren der Brüder verstummen zu lassen. Es habe Boshaftigkeit gegenüber einem Bruder gegeben. Der Vorsteher hat den Bischof aufgesucht und mit ihm unter vier Augen gesprochen, und alles geht wieder bestens. Nachher ruft uns der Vorsteher die Gebote der Klosterregel bezüglich Kapitel und Kapitelsaal[8] in Erinnerung.

Und mir verweigert man sogar, eine kleine Botschaft an diejenige zu senden, die meine Lebensgefährtin war. Auch meine Familie darf ich nicht benachrichtigen.

Ich will mich von diesen Schandtaten abwenden und lehne es ab, durch die aufgeworfenen Fragen innerlich angegriffen zu werden. Ich bleibe mit meinen Fragen und dem in der Tiefe meines Wesens Vergrabenen allein. Ich isoliere mich in einer inneren Verschwiegenheit und habe nur einen Vertrauten: Gott. Ich verstehe, dass er meine einzige Zuflucht ist. Ich bin gekommen, um mich ihm zu weihen, ihn zu suchen und zu ihm zu beten. Vielleicht muss ich diesen Weg der Prüfungen gehen?

Das Postulat von Hervée

Ich verabschiede mich von dem, der mein Ehemann war und seit 1985 mein Bruder ist. Er wird, wie erwähnt, in einem Zisterzienserkloster in der Schweiz aufgenommen, und ich kehre ins Zisterzienserkloster für Frauen nach Frankreich zurück, 850 Kilometer von meinem Mann entfernt.

Ich gebe zu, dass die Reise schwierig ist. Dieses Mal ist jeder allein. Vorher, obwohl Bruder und Schwester, erlaubte man uns, uns bei Arbeits- und Gebetszusammenkünften zu treffen. Ich ertappe mich beim Weinen und verfahre mich erstaunlicherweise auf dem einfachen und vertrauten Weg. Kurz vor den letzten 100 Kilometern halte ich in einem Wäldchen an und versuche meine Gedanken zu sammeln. Sind unsere Schritte richtig? Ist es wirklich Gottes Wille für unser Leben? Ich gewinne wieder Sicherheit, indem ich mir sage, dass meine Reaktion eben menschlich, sentimental und normal ist.

Am Abend komme ich ins Kloster zurück, nachdem ich den ganzen Tag den Bus der Ordensgemeinschaft gelenkt hatte. Er wurde mir anvertraut, damit ich mein Material transportieren konnte, nämlich Möbel, Küchenutensilien, elektrische Maschinen und Bücher. Man könne es hier gebrauchen, hat mir die Oberin gesagt.

Ich verbringe den ersten Monat im Nebengebäude für Gäste, während einer Bewährungszeit, wie man mir sagt. Ich sorge für die Hotellerie und die Verkäufe im Laden. Nachdem der Monat vergangen ist, komme ich ins Noviziatsnebengebäude. Ich wohne in einer kleinen, sparsam möblierten Zelle. Es gibt weder eine Nachttischlampe, noch einen Schrank. Das Bett besteht aus einem Rahmen, der mir das Gefühl des Schlingerns vermittelt. Dabei kam ich mit einem wertvollen Bett aus meinem Hausrat an, das aber auf Befehl der Oberin einem Antiquar verkauft wurde. Man verspricht mir, dass ich später ein gutes Bett erhalte. Am anderen Morgen nach meiner Einrichtung im Noviziat unterbreitet mir die Oberin das Programm meines neuen Lebens. Rasch integriere ich mich in das neue Umfeld. Ich finde ja nur das Klosterleben wieder, wie ich es in einem anderen Rahmen schon erlebt habe.

Das Postulat ist eine Zeit der Überwachung, der Ausbildung und der Bewährung. Es dauert sechs Monate für die Männer und neun bis zwölf für die Frauen. Diese Zeiten variieren je nach Klostergemeinschaft und Kongregation[9]. Die Oberin führt mich in den Tagesablauf des Klosterlebens ein. Ich nehme von den Richtlinien der Klostergemeinschaft Kenntnis. Die Mönche und Nonnen leben unter einer gemeinsamen Regel, aber jedes Kloster hat zudem noch seine eigenen Richtlinien, die obligatorisch von Rom überprüft und allenfalls angenommen werden.

Wenn ich dies richtig verstehe, so ist das Postulat, außerhalb der Klosterregel, auch eine Zeit der Einführung in das örtliche Leben. Mein Leben als Postulantin ist abgeschirmt. Ich habe gar keinen Kontakt mit den Mitgliedern der Gemeinschaft. Aber auch diese haben kein Recht, mit den Postulanten zu reden, außer in außergewöhnlichen Situationen und mit Erlaubnis des Vorstehers. Die einzigen Mitglieder, die sich um mich kümmern dürfen, sind die Äbtissin, die Leiterin der Novizinnen und der Beichtvater. Dieser kommt einen Tag im Monat, und es ist immer ein Bruder der Kongregation, der dem Leiter des Klosters unterstellt ist.

Ich werde eingeweiht in das große Schweigen, in die Einsamkeit, in die Ordensregel, in die heilige Überlieferung, in die Liturgie, in die drei Gelübde, nämlich Gehorsam, Reinheit und Armut, in die Abhängigkeit und in die Demut, welche zwölf Stufen umfasst.

Ich erledige täglich eine Arbeit für die Gemeinschaft im Gehorsam gegenüber meiner Vorgesetzten. Die einfachsten Aufgaben werden mir anvertraut, wie verschiedene Reinigungsarbeiten, Garten- und Rüstarbeiten und eine Vielzahl von nützlichen Aufgaben, die in der Einsamkeit und in der Stille ausgeführt werden können. Sie haben nichts gemein mit meiner Ausbildung und meinen Fähigkeiten. Da ich aber geschickte Hände habe, werde ich eingeladen, künstlerische Gegenstände herzustellen. Diese werden im Laden des Klosters verkauft, und der Erlös trägt zum Unterhalt der Gemeinschaft bei.

Ich habe den Befehl erhalten, meine Zeit der Entspannung für die Lektüre und das Studium der Kurse einzusetzen. Ich überlege mir, wie ich diese seltenen Momente am besten verbringe. Wenn ich Arbeiten für den Verkauf herstellen muss, werde ich dann dazu kommen, alles, was von mir verlangt wird, zu erfüllen? Ich realisiere, dass ich beobachtet und ausspioniert werde, und dass die Mitglieder der Gemeinschaft ihre Einschätzungen der Oberin mitteilen. Diese Beobachtung geschieht ohne mein Wissen, wird aber rasch offenbar durch die Haltung der Personen. Das stört mich allerdings nicht.

Die Oberin gibt mir täglich Kurse in Theologie, asketischer Moral, Religionsgeschichte etc. Sie gibt mir Bücher zu lesen. Es handelt sich um Bücher von Heiligen, von Geschichten, die das Klosterleben betreffen, von Texten über den Katholizismus und später – wie sie mir sagt – über das Leben der Gründer unseres Ordens. Sie erklärt mir, dass Letztere am Anfang des Lebens im Kloster nicht gelesen werden dürfen. Ich gehe auf alle ihre Forderungen ein. Ich glaube, dass es für den Herrn geschieht und dass diese Situation für meine Integration normal ist.

Bei den Mahlzeiten warte ich, bis man mich bedient, und ich esse, was man mir gibt. In unserem Kloster wird die Selbstbedienung kurz nach meiner Ankunft eingeführt. Auch jetzt warte ich, um mich zu bedienen, bis sich alle Mitglieder bedient haben. Man schöpft nur einmal. Wenn es Reste gibt, entscheidet die Vorsteherin, was man damit tut. Auf ihren Befehl kommt die Tischdienerin noch einmal vorbei für einen zweiten Service, oder sie gibt die Reste den Mitgliedern, die durch die Oberin bezeichnet worden sind. Wenn ich meine Ration nicht vor Ende der Mahlzeit fertig gegessen habe, lasse ich sie stehen. Anfänglich, wenn wir einen Apfel erhalten haben, komme ich nicht dazu, ihn während der Mahlzeit ganz zu essen. Darüber spreche ich mit der Vorgesetzten. Sie rät mir, ein schriftliches Gesuch an sie zu richten, um das Recht von ihr zu erhalten, den Apfel zu einer anderen Tageszeit zu essen. Diese Erlaubnis wird mir für zwei Monate gewährt. Nachher werde ich streng aufgefordert, den Apfel während der Mahlzeit zu essen, oder aber ihn liegen zu lassen. Der Befehl ist erteilt. Ich lerne, dass man sich niemals das Recht oder die Freiheit eines Widerspruchs herausnehmen darf. Die Oberin lädt mich ein, den Text der Ordensregel zu studieren, welcher diese Situation beschreibt.[10]

Die Oberin spricht von der »lectio divina«. Ich denke zuerst, das bedeute Bibellese. Es ist aber eine Zeit der obligatorischen Lektüre, die in einem Saal, genannt Scriptorium, durchgeführt wird, und zwar in der Gemeinschaft, aber jede für sich und in tiefer Stille. Ich erhalte von der Oberin die Lektüre, in die ich mich zu vertiefen habe: Das Leben der Heiligen und der Mystiker oder ein geistliches Buch, das sie für mich ausgesucht hat. Seit die Bibel in der katholischen Welt als Lektüre zugelassen ist, darf man diese Zeit auch für die Bibellese verwenden. Doch ist die Oberin beunruhigt über die Bibelübersetzung jedes Mitglieds und gibt die Anweisung, dass nur der tägliche Bibeltext, der von Rom ausgesucht worden ist, meditiert werden darf. In der Tat bereitet eine Gruppe von Geistlichen in Rom die täglichen Bibeltexte vor, die dann von den Katholiken der ganzen

Welt gelesen werden müssen. Deshalb sind wir nicht gezwungen, eine Bibel zu besitzen. Die Oberin rät uns, nur einige Verse zu lesen und die dann zu überdenken. Für den Anfang legt sie uns die Verse 9 und 10 des zehnten Kapitels der Offenbarung vor: »*Ich ging zu dem Engel und bat ihn, mir die Buchrolle zu geben. ›Nimm sie und iss sie!‹ sagte er. ›Der Magen wird sich dir zusammenziehen, so bitter ist sie; aber solange du sie im Mund hast, wird sie süß sein wie Honig.‹ ...*«

Eines Tages weist mich die Oberin an, dass ich mit dem ersten Schritt der Läuterung der Gedanken beginnen soll. Ich bin voller Eifer und möchte Gott gefallen. Ich bemühe mich gewissenhaft, jeden vom Klostervorsteher und der Ordensregel als negativ bezeichneten Gedanken zu verscheuchen. Um das tun zu können, muss ich folgende Regeltexte verinnerlichen:

Texte des Kapitels 7 der Ordensregel. Die folgenden Texte werden am 2. Februar, 3. Juni und am 3. Oktober gelesen.

Der 5. Grad der Demut besteht darin, dass man seinem Abt durch ein demütiges Geständnis alle schlechten Gedanken aufdeckt, die die Seele erreichen, und die Fehler, die man im Geheimen begangen haben könnte.

Die Ordensregel zitiert dann die folgenden Bibelverse, um uns in den fünften und wichtigen Grad der Demut einzuweihen:

Psalm 36,5 : »*Befiehl dem Herrn deinen Weg und vertraue auf ihn!*«

Psalm 106,1: »*Dankt dem Herrn, denn er ist gütig und seine Gnade währt ewig!*«

Ich werde auch eingeladen, auf jegliche Eigeninitiative zu verzichten, um zu lernen, meinem eigenen Willen abzusagen. Die Ordensregel verweist auf einen Vers aus den Apokryphen, um mich zu zwingen, diese Vorschrift zu akzeptieren, welche ein Teil des längsten Kapitels der Ordensregel ist, das von der Demut handelt. Der Vers sagt: »Verzichte auf deinen Willen.«[11]

Auf dem Weg dieser Unterweisung gibt es eine logische Folge: der Gehorsam, die Unterwerfung, die Geduld, die Abhängigkeit. Für den klösterlichen Gehorsam gibt es Bibeltexte, die in der Ordensregel zitiert werden: »*Du hast Menschen über unser Haupt fahren lassen ...*« Psalm 66,12.

Dieser Bibelvers erlaubt es, mich zu lehren, dass ich fortan unter der Autorität der Äbtissin stehe. Ferner wird Matthäus 24,13 zitiert: »*Wer aber bis ans Ende standhaft bleibt, wird gerettet!*« Dieser Vers erlaubt den Vorgesetzten verschiedenste Interpretationen.

Später werde ich in die Gemeinschafts-Culpa eingeführt. Die Culpa ist die Beichte der begangenen Fehler vor der ganzen Gemeinschaft und wird im Kapitelsaal durchgeführt. Die Schuldige kniet mitten im Saal nieder und wartet auf das Zeichen der Oberin, ein Zeichen, das die Erlaubnis zum Sprechen gibt. In vielen Klöstern wird das jeden Abend durchgeführt, in anderen nur zweimal pro Woche. Am Schluss des Geständnisses, nach einer mehr oder weniger langen Schweigezeit, steht die Oberin auf und ordnet die Strafe an.

Eines Morgens komme ich zu spät zur Messe. Anlässlich der Culpa trete ich vor und sage: »Ich bitte um Verzeihung, dass ich heute Morgen den Frieden gestört habe, weil ich zu spät zur Messe kam.« Nach diesem Geständnis sagt mir die Oberin: »Meine Schwester, hier bittet man nicht um Verzeihung, sondern man klagt sich an.« Das war für mich wie ein Dolchstoß. Ich komme nicht darüber hinweg und nehme mir vor, mit der Oberin bei nächster Gelegenheit darüber zu sprechen. Es gibt einen so großen Unterschied zwischen Vergebung und Anklage. Ich werde eingeführt in die Selbstüberwindung, die Transzendenz[12] und die Selbstaufopferung. Man zeigt mir die Leiden Christi, an denen man teilhaben müsse, die Leiden Marias und der Heiligen und verweist auf die Opfer, die dargebracht werden müssen.

Ich bin Feuer und Flamme, glaube fest daran, rase gleichsam blind drauf los, selbst wenn mich logische Gedanken quälen, selbst wenn meine Augen beiläufig auf inakzeptable Tatsachen stoßen, selbst wenn meine Ohren beiläufig Worte zweifelhaften Geschmacks hören. Ich glaube so sehr an dieses Gott total hingegebene Leben, dass ich mich darin vertiefe, ohne groß nachzudenken. Man muss auch in Betracht ziehen, dass das Leben einer Postulantin, genau wie das Leben im Kloster, einen regelmäßigen Rhythmus aufweist und dermaßen ausgefüllt ist, dass es physisch und nervlich außerordentlich anstrengend ist. Man hat weder Zeit noch Mut zum Nachdenken.

Während meines Postulats ruft mich eines Tages die Oberin zu sich. Sie zeigt mir ein Dokument, das von Rom gekommen ist. Ich sehe ein sehr schönes Pergament mit einem beeindruckenden Briefkopf, roten Buchstaben und den Wappen des Vatikans über einem langen lateinischen Text mit verschiedenen Unterschriften. Ich nehme Kenntnis davon. Die Oberin sagt mir, dass ich dieses Papier unterschreiben müsse, wenn ich eine bedeutende Nonne werden wolle. Das Papier legt ausdrücklich fest, dass ich durch meine Unterschrift bestätige, dass ich nie mein Kloster verlassen werde, was auch immer Bruder Roland zustoßen möge oder sogar, wenn er einmal aus dem Kloster austreten sollte. Dieser Augenblick ist hart, und ich gestehe, dass ich erschüttert bin. Es ist, wie wenn man mich verpflichten würde, denjenigen zu verleugnen, der mein Ehemann gewesen ist. Mehrere Gedanken schwirren in meinem Kopf herum, aber ich weiß, dass ich nicht sprechen und nicht verstehen darf. Die Haltung der Oberin ist klar. Ich habe keine Wahl. Ich muss gehorchen und unterschreibe. In meinem Herzen bleibt ein bitterer Nachgeschmack. Die Worte der Oberin verstummen nicht: »Das ist schön, es ist eine Nüchternheit, die Gott gefällt. Sie lassen ihm alles.« Alles was sie mir sagt, lässt mich gleichgültig. Ich realisiere, dass sie nicht die ganze Tragweite überblickt. Wie dem auch sei, man muss alles annehmen gemäß der Klosterregel und die Befehle niemals in Frage stellen. So, wie ich es gelernt habe, überschreite ich Grenzen und nehme an. Abends in der Zelle frage ich mich, was die Vorgesetzten von Roland in dieser Beziehung von ihm verlangen.

Das Leben geht weiter. Die Kurse, die Arbeit, die heiligen Handlungen … der Rhythmus ist gedrängt und wir haben keine Zeit, uns zu langweilen. Wenn der Abend kommt, sind wir zerbrochen und froh, uns endlich hinlegen zu können. Der Wecker läutet früh am Morgen, die Nächte sind also kurz. Die Zeit des Postulats geht schnell vorbei. Man denkt an die Einkleidung. Wir warten auf diesen Moment, um in gewissem Sinn wieder eine Identität zu haben.

Eines Tages gibt mir die Oberin das Datum meiner Einkleidung bekannt. Ich erhalte den Befehl, ihr handschriftlich ein Gesuch zu stellen, um für das Noviziat eingekleidet zu werden. Die Klostergemeinschaft wird eingeladen, für die Annahme zu stimmen oder die Kandidatur abzulehnen. Vor dem großen Tag habe ich das Recht auf eine Ruhewoche im Schoß des Klosters. Ich freue mich und bin dem Herrn gegenüber sehr dankbar für diesen Lebensabschnitt. Die Gemeinschaft hat abgestimmt, und ich werde über das Resultat durch die Oberin unterrichtet, die mir feierlich mitteilt: »Der Herr hat Erbarmen mit Ihnen gehabt.« Das offizielle Datum wird jetzt durch die Oberin festgesetzt.

Endlich erhalte ich Nachrichten von Bruder Roland. Er hat seine Einkleidung erlebt und ist Novize. Er sagt mir, er sei glücklich. Ausnahmsweise erhalte ich einige Fotos der Zeremonie. Meine Oberin gibt mir die Erlaubnis, ihm zu schreiben und ihm das Datum meines zukünftigen Lebensabschnittes mitzuteilen. Ich werde auch das Recht auf einige Fotos haben. Letztere werden durch eine Vorgesetzte aufgenommen werden, die Klostervorsteherin, die mit dieser Aufgabe betraut ist. Alles wird in den Archiven des Klosters landen.

Als ich auf die Ruhewoche warte, erhält die »Schwester Schneiderin« das Recht, mich zu sich zu rufen, um die Uniform anzuprobieren. Sie wird bestehen aus 2 weißen Umhängen, 2 weißen Schleiern, 2 weißen Schultertüchern, 2 weißen Gürteln, 3 Häubchen, die man den Tag hindurch unter dem Schleier trägt, 3 weißen Kragen, 2 Arbeitsblusen, die uns von Kopf bis Fuß einwickeln und je nach Orden blau oder hellbraun sind, 2 blauen Schürzen und 2 blauen Kapuzen. Die Kapuze ist ein Kleidungsstück, das wir für die Arbeit auf dem Kopf tragen. In der Nacht bedecken wir damit unsern Kopf. Nach der Messe wechseln wir die Kleider für die Arbeit. Was die anderen Kleidungsstücke betrifft, die Leibwäsche, Pullover, Jacke, haben wir unsere eigenen Sachen mit ins Kloster gebracht. Es ist eine Minimalausstattung, die nach einer Liste der Vorgesetzten zusammengestellt wird.

Die »Schwester Schneiderin« benützt die Anprobe der Kleider, um mit mir zu sprechen. Das erstaunt mich, denn sie gehorcht weder der Regel noch der Oberin. Wir leben in stiller Ruhe, und die Oberin ruft uns das immer wieder in Erinnerung. Das Schweigen zu brechen, ist eine Verletzung der Regel, und wir müssen uns diesbezüglich anlässlich der Culpa anklagen. Ich höre auf die Sätze dieser Schwester, aber ich antworte nicht darauf. Sie sind auch keineswegs erbaulich. Sie ist schon älter, und ich denke, dass sie abgespannt und müde ist. Daher kommt wohl die glanzlose Farblosigkeit ihrer Äußerungen. Ich lege sie in die Schublade Erinnerungen ab, kümmere mich im Moment nicht weiter darum, will sie aber keinesfalls vergessen, denn sie geben Aufschluss über die Situation. Im Augenblick widme ich mich ganz meinem zukünftigen Lebensabschnitt.

Roland im Kreuzgang des Klosters anlässlich seiner ersten Gelübde

Noviziat[13]
und Glaubensbekenntnis
von Roland

Nachdem ich die Kleider erhalten habe, kehre ich in die Unterkunft der Novizen zurück, bekleidet mit der Tunika und bewaffnet mit der Klosterregel und ihren heilbringenden Tugenden. Das Leben geht dort weiter, wo es vor der Einkleidung, einer feierlichen Zeremonie, aufgehört hatte. Das Noviziat dauert ein Jahr. Am Schluss werde ich dazu berufen, meine ersten Gelübde abzulegen. Die Einkleidungszeremonie ist prunkvoll wie alle katholischen religiösen Zeremonien. Sie haben, ähnlich wie diejenigen meiner Kindheit, eine magische, verwirrende Kraft. Man ist nicht mehr ganz da und überlegt nicht mehr. Ich tappe genussvoll in die Falle. Ich habe wieder eine Identität. Ich schwebe sicher auf einer Wolke und sehe nichts mehr von der Realität. Ich glaube immer noch, dass ich Gott diene und seinen Willen tue. Ich bin so dankbar, dass ich ihm mein Leben weihen darf.

Die Ausbildung geht weiter mit Kursen über zisterziensische Moral und klösterliche Askese. Meine Tage sind vollständig ausgefüllt. Die Messe, die Arbeit und die Kurse beanspruchen meine ganze Zeit. Diesen Satz schreibe ich mit dem Risiko, mich zu wiederholen, aber ich lege großen Wert auf diese Aussage. Es ist in der Tat das Ziel des Noviziatsjahres. Die Vorgesetzten können sich so ein Bild machen von meiner Ausdauer und meiner Fähigkeit zu gehorchen. Kein Novize ist davon ausgenommen.

Bei solch regelmäßiger Geschäftigkeit geht das Jahr schnell vorbei. Bald werde ich über die Bedingungen für den nächsten Schritt orientiert. Die Klostergemeinschaft hat abgestimmt, und mir wird erlaubt, die ersten Gelübde abzulegen. Der Vorsteher teilt mir mit, dass das Datum unter Beachtung des Kalenders für die kirchlichen Feste bestimmt wird. Für diesen Tag sucht der Rat der Klostergemeinschaft immer ein Datum aus, das Bezug hat zu einem Heiligen des Ordens. Oder aber es ist ein Tag, der im Zusammenhang mit der Kirchengeschichte einen Bezug zu Maria und zum Orden hat.

Gemäß den Anweisungen des Vorgesetzten bereite ich einen handschriftlichen Brief vor, in welchem ich mich durch die drei Gelübde – Armut, Reinheit, Gehorsam – der Kongregationsgemeinschaft verpflichte. Ich muss mein Testament schreiben und es eigenhändig dem Vorsteher übergeben. Wenn ich noch Wertschriften oder irgendwelche Vermögenswerte besitze, wenn ich nicht alles hergegeben habe, muss ich ihm die Verfügungsgewalt über meine Güter überlassen. Die Zinsen gehen an die Gemeinschaft. Ich werde diesbezüglich niemals Fragen stellen.

Der Tag der ersten Gelübde ist da. Es ist eine prachtvolle Zeremonie. Die unmittelbare Gegenwart eines Oberen, der seinen Sitz in Rom (gehabt) hat, macht Eindruck und beeinflusst das Klima des ganzen Tages. Bekleidet mit einem schwarzen Skapulier[14] werde ich Eingeweihter auf Zeit. Ich bin dem Herrn dankbar für diesen Lebensabschnitt. Ich bin glücklich und glaube fest. Ich lasse mich davontragen vom Jubel in der Gemeinschaft. Diese Freude ist Balsam nach all den Vorbereitungen und Verpflichtungen, die für diese Zeremonie verlangt worden sind.

Das Leben geht weiter. Ich beginne, das Gemeinschaftsleben im Innern des Klosters als angenehm zu empfinden. Die Arbeit, die

Messe, die Konferenzen, neue Verantwortlichkeiten und besonders die genaue Beachtung der Ordensregel und die Eingliederung in den Schoß der bestehenden Gemeinschaft bewirken in mir Verwunderung und bringen Überraschungen. Ich sage nichts. Ich beobachte und notiere in einem Heft alles, was mir persönlich seltsam erscheint. Bei Unterhaltungen, die gemäß der Klosterregel verboten sind, bleibe ich ruhig und versuche, gleichgültig zu sein. Während der letzten Ausbildungszeit habe ich gelernt, Dinge aufzugeben, Grenzen zu überschreiten und Regeln zu verinnerlichen. Gegenüber diesen neuen peinlichen Situationen sondere ich mich ab. Zu gewissen Zeiten des Nachdenkens frage ich mich trotzdem, ob dieses Verdrängen psychologisch nicht Keime überträgt, die verheerende Folgen haben.

Ich beschäftige mich weiter mit dem Bienenhaus. Dieses Jahr haben wir eine reiche Ernte. Ich arbeite auch auf dem Bauernhof. Ich bin dazu Hilfsgärtner und Verantwortlicher für den Speisesaal. Von Zeit zu Zeit verlangt ein Vorgesetzter von mir eine zeichnerische oder fotografische Arbeit. Es ist zwar sehr selten, aber es kommt meinem künstlerischen Bedürfnis und meiner Ausbildung entgegen. Mit der Zustimmung meines Vorgesetzten verbringe ich meine Zeit des Ausspannens im Winter in der Schreinerei. Das Bienenhaus braucht neue Rahmen für die nächste Saison.

Trotz der Pflicht, innerhalb unserer Gemeinschaft zu schweigen, sind Gerüchte im Umlauf. Durch sie vernehme ich, dass die Vorgesetzten beschlossen haben, das Bienenhaus zu verkaufen. Die Gerüchte lehren mich auch, dass dies geschieht, um meine Demut zu beschützen: die Ernte war (zu?) reich ausgefallen. Ziemlich schnell informiert der Vorgesetzte die Gemeinschaft anlässlich einer Zusammenkunft im Kapitelsaal über den Verkauf des Bienenhauses. Ich bleibe gefasst. Ich soll als Holzfäller arbeiten. In dieser Situation bin ich ratlos. Warum hat man mich unnötigerweise Rahmen herstellen lassen? Warum soll ein Bienenhaus verkauft werden, wo doch die Herstellung von Honig seit früher Zeit eine klösterliche Tätigkeit ist? Und Holz fällen ... Ich habe keine Ahnung davon. Ich habe noch nie die Werkzeuge und die für diese Aktivität nötigen Maschinen in meinen Händen gehabt. Entsprechend der Ordensregel nehme ich alles gehorsam, still und ohne Murren an.

Ich mache mich an die neue Arbeit. Der erste Baum fällt nicht nach Wunsch, sondern in entgegengesetzter Richtung. Die Nächsten werden besser für den Fall vorbereitet, und ich werde vorsichtiger sein.

Ich bin für den Speisesaal verantwortlich. Ein Bäcker und Freund der Abtei liefert uns regelmäßig seine nicht verkaufte Ware. Es gibt verschiedene Sorten Brot. Das bringt ein bisschen Abwechslung. Bei jeder Mahlzeit verteile ich diese verschiedenen Brote und freue mich für meine Brüder. Eine Woche vergeht und ich werde vom »Bruder Koch« gerufen. Auf Befehl des Abtes soll man diese Brote nicht mehr servieren. Es ist zu luxuriös. Ich finde die Reste auf dem Misthaufen. Das macht mich traurig und hinterlässt mir viele Fragen. Ich habe Mühe zu verstehen, welches die Auffassung unseres Vorgesetzten zum Gelübde der Armut ist. So viele Leute auf der Welt sterben vor Hunger. Man muss sich ohne Widerrede unterwerfen.

Der Abt unseres Klosters gedenkt zurückzutreten. Die Gemeinschaft bereitet sich vor, eine Abtwahl vorzunehmen. Gemäß den Bestimmungen des Zisterzienserordens geschieht die Wahl des Abtes oder der Äbtissin auf dem Dienstweg. Ein Abt im Zisterzienserorden wird auf Lebenszeit gewählt. Wenn er sich eines Tages zu alt oder zu müde erachtet, darf er seinen Rücktritt unterbreiten. In unserem Kloster erkrankt der Prior, der als Nachfolger gewählt werden soll, an einer schnell um sich greifenden Leukämie. Gerüchte sprechen von seinem baldigen Ableben. Es folgt in der Nachfolge der Unterprior, ein gebildeter Mann und wahrer Diener Gottes, der unter dem Wirken des Heiligen Geistes leben will und sich ganz nahe an die Heilige

Schrift anlehnt. Hinter ihm warten drei ehrgeizige junge Männer, die nach Macht dürsten.

Man spricht viel von dieser Wahl. Die ganze Maschinerie setzt sich in Gang. In der Gemeinschaft gärt es. Es stimmt zwar, dass alle Mitglieder der Gemeinschaft das Stimmrecht haben bei dieser Wahl, und es ist auch ein folgenschweres Ereignis. Nur die Postulanten, Novizen und die auf Zeit Geweihten haben kein Stimmrecht. Auf Grund der Situation wird die Gemeinschaft für einen Moment aus ihrer Monotonie ausbrechen; gemäß der Klosterregel muss die Wahl einstimmig erfolgen. Sonst muss alles aufs Neue begonnen werden. Was für eine Erschütterung. Alle Mauern des Klosters erzittern. Und wie viel Murren in seinen Winkeln!

Ich schaue mir all das mit Sorge an und bemerke, dass ein Mönch beauftragt wird, den Unterprior auszuhorchen und einen Bericht zu erstellen, den er anschließend einem Mönch übergibt, der zu den drei erwähnten jungen Männern gehört. Ich bin perplex und realisiere auch, dass der Unterprior immer trauriger wird. Dieser Mann trägt eine schwere Verantwortung. Wenn der Abt nicht da ist, vertritt er ihn. Er tut das mit wirklich evangelischer Stärke. Während dieser Vertretungen regiert jeweils in der ganzen Abtei eine Atmosphäre des Friedens. Was passiert jetzt? Ich muss über all das nachdenken; aber das Schweigegebot erlaubt mir keine Fragen.

Eines Tages ruft mich der abtretende Abt in sein Büro. Er verlangt von mir eine persönliche Arbeit, die mit größter Diskretion ausgeführt werden soll. Er zeigt mir eine Photographie mit drei Mönchen der Abtei und weist mich an, das Portrait des Mönches in der Mitte zu vergrößern und einzurahmen. Diese Arbeit liegt im Rahmen meines früheren Berufs. Ich gehorche und verspreche, die Arbeit diskret auszuführen. Doch verstehe ich den Schwindel bald. Als ich in meiner Zelle zurück bin, kann ich meinem Erstaunen Ausdruck geben. Ich weiß nun schon vor der Abstimmung, wer als Abt gewählt werden wird: einer der drei machthungrigen Mönche, derjenige in der Mitte der Photographie. Davon bin ich überzeugt. Bis zur Wahl verbleiben einige Monate. Ich beginne die Motive des Krieges zu verstehen, der zur Zeit innerhalb der Klostergemeinschaft tobt. Ich bin aufmerksam und vorsichtig.

Ich stelle fest, dass der Unterprior, der eigentlich gewählt werden müsste, aus der Gemeinschaft ausgeschlossen wird. Er wird allseits bedrängt, ausspioniert und wird Opfer von Ungerechtigkeiten und schamlosen Lügen. Er wird krank. Jetzt kann ich nicht mehr widerstehen. Es ist zwar gegen die Regel, aber ich ergreife für ihn Partei und widme ihm meine Aufmerksamkeit. So weit er kann, vertraut er sich mir an. So bin ich auf dem Laufenden über sein Leiden, die Ungerechtigkeiten, die er erdulden muss, aber auch über die politische Mafia, die sich inmitten des Klosters abspielt.

Kurz vor der Wahl werden wir informiert, dass der Unterprior uns verlassen wird. Auf Befehl Roms wird er an einen anderen Ort versetzt, trotz seines Stabilitätsgelübdes. Er wird Geistlicher sein in einem Frauenkloster des Zisterzienserordens, 300 km weit weg. Nun ist die Sache gelaufen, und die drei jungen »Wölfe« haben freie Bahn. Einer der drei geht für eine Woche fort. Es wurde zwar im Kapitelsaal mitgeteilt; aber ein Geheimnis umhüllt diese Nachricht. Gerüchte erlauben uns zu wissen, dass er sich nach Rom begab. Keine Zweifel mehr, alles wird klar erkennbar. Die Atmosphäre wird schwer im Kloster. Überall Andeutungen, heimtückisches Tuscheln, gedämpfte Schritte, die sich entfernen, begleitet vom Rauschen der Ordensgewänder. Eine drückende Stimmung, die nichts mit dem klösterlichen Ideal zu tun hat.

Vor seinem Weggang verabschiedet sich der Unterprior offiziell von der Gemeinschaft. Diese Sitzung findet im Kapitelsaal statt. Nach seinen Abschiedsworten fügt er hinzu: »Ich danke dem

Bruder Roland. In allem, was ich durchmachen musste, war er der Einzige, der mir Freundschaft und brüderliche Zuneigung bezeugte.« Deswegen werde ich bestraft, denn gemäß der Regel darf ich einem Bruder keine Hilfe leisten. Ich werde eines groben Verstoßes für schuldig erklärt, umso mehr, als der unterstützte Bruder ausgeschlossen worden war. Auch ich werde vom Ausschluss bedroht[15]. Nach dieser Sitzung verschwindet der Unterprior in einem Wagen, und wir haben keine Möglichkeit, ihm persönlich Auf Wiedersehen zu sagen. Also war es der abtretende Abt, der den Unterprior ausgeschlossen hatte. Ich verstehe, warum er mir eines Tages auf einem Spaziergang in einem Moment der Müdigkeit und tiefer Traurigkeit gesagt hat: »Ich bin zwar Abt, aber ich gehorche regelmäßig meinen Brüdern.«

Diese Situation beschäftigt mich lange Zeit, und ich bin voller Fragen. Täglich werde ich mit Situationen konfrontiert, die mit der Bibel nichts gemeinsam haben.

Der Unterprior weit weg, der Prior im Spital, der Wahltag in der Nähe, welche Aufregung! Das Gelände ist frei. Man übersieht mit Leichtigkeit, was passiert. Jemand, der gut informiert ist, sieht schon lange, wie die Amtseinsetzung des neuen Abtes vorbereitet wird. Ich bin überzeugt, dass die Dienstältesten sich nichts vormachen lassen, aber im Namen der Gehorsamsregel dulden sie die Situation.

Da kommt etwas anderes dazwischen. Der Zustand des Priors verschlimmert sich. Sein Tod wird uns mitgeteilt. Das Leben steht still. Man muss an seine Beerdigung denken. Das Kloster versinkt für einige Tage in eine besondere Stille. Alles passiert schnell und gemäß den zisterziensischen Klosterbräuchen. Die Beerdigung ist beeindruckend. Der Leichnam, bedeckt mit dem großen Kardinalsmantel, liegt auf einem großen Brett. Das Gesicht ist mit einem Taschentuch bedeckt. Dann wird der Tote auf den Grund eines Lochs gelegt, das von einem Bruder ausgehoben wurde. Darauf wird er mit Erde zugedeckt; den Hügel überragt ein einfaches Metallkreuz und ein Grabstein mit der kurzen Inschrift R.I.P., dem Namen des Verstorbenen und dem Todesdatum.

Nachdem alle Geschäfte erledigt sind, kommt man wieder auf die Wahl zurück. Die Gemeinschaft wird über das Datum der Abstimmung informiert. In jeder Messe werden Stoßgebete ausgesprochen für diese Wahl. Das erste Resultat ist negativ. Die Brüder, die einen Wahlvorschlag nicht gutheißen, dürfen dies bei der Abstimmung zeigen. In der Tat weiß niemand, wer eine schwarze oder eine weiße Kugel eingelegt hat, wobei die schwarze Kugel Ablehnung, die weiße Zustimmung bedeutet. Wir werden sofort informiert, dass es eine zweite Abstimmung geben wird. Die Tage gehen vorüber. Dann sagt man uns, dass der frühere oberste Abt[16] der Kongregation eingetroffen sei. Kein Bruder zweifelt daran, dass dieser Besucher von den Oberen oder sonst jemandem in besonderer Absicht eingeladen worden ist. Einige Tage nach der Ankunft des Besuchers wird die Gemeinschaft in den Kapitelsaal gerufen, um den Besucher anzuhören. Nach den gewohnten Einführungsworten spricht er von der Wahl und besteht darauf, dass das Resultat der nächsten Wahl einstimmig ausfallen müsse. Das Gelübde des Gehorsams wird uns in Erinnerung gerufen. Die Gemeinschaft hat verstanden. Der vorbestimmte Abt wird allem und jedem zum Trotz eingesetzt. Das Datum der zweiten Wahl wird bekannt gegeben. Die Wahl erfolgt einstimmig. Niemand zweifelte daran. Die Abstimmung ist also eine reine Farce. Aber das Gesetz des Gehorsams und des Schweigens ist siegreich. Und das Leben geht weiter.

Der neue Abt richtet sich mit viel Luxus ein. Die persönliche Wohnung wird gemäß seinen Plänen restauriert, persönliche sanitäre Anlagen werden eingerichtet, Kardinalsmantel und Messgewand mit goldenen Fäden, Kreuz und Bischofsstab aus Gold. Welch ein Prunk! Der Tag der Weihe ist ein Tag mit Festlichkeiten, die eines Monarchen würdig wären. Er ist bald nach seiner Wahl öfters abwesend. Gemäß dem Beispiel von Johannes-Paul II. geht er auf lange Reisen durch Europa, begleitet von einer »Mutter Äbtissin« der Kongregation. Er überlässt die Verantwortung für das Kloster den zwei anderen ehrgeizigen Brüdern. Der frühere Abt wird in eine kleine Mönchszelle verbannt und versinkt in der Anonymität. Er wünscht einige Verpflichtungen aus der früheren Zeit zu behalten, nämlich die Mitgliedschaft beim Malteserorden und die Verbindung zu den politischen Behörden seines Kantons; aber der neue Abt bringt ihn davon ab. Gehorsam verpflichtet: Er unterwirft sich. Nun widmet er sich der Liturgie, einem Bereich, den er immer sehr geschätzt hat.

Das ganze Kloster erleidet eine Revolution auf allen Ebenen. Die Ordensregel wird äußerst streng angewandt, und die absolute Macht kommt von drei beherrschenden Köpfen her. Die älteren Mönche krümmen ihre Rücken noch mehr. Jeder Körper zeigt seinen Zustand durch verschiedenste Symptome wie Verdauungsbeschwerden, Gelenkschmerzen, Kopfweh etc. Ein Rauchmantel, nicht aus goldenen Fäden, sondern aus Machtmissbrauch fällt auf die ganze Gemeinschaft und bedrückt sie schwer. Die Atmosphäre ist schwer von innerem Murren. Jeder beugt sich unter das Gebot des Gehorsams. Ich versuche, mich nicht überwältigen zu lassen von der Welle peinlich genau zu befolgender Vorschriften und lege alles dem Herrn hin.

Ich arbeite als Holzfäller. Dabei treffe ich manchmal im Wald, der zur Abtei gehört, Familien beim Spaziergang. Wegen des Staatsbeitrages hat die Abtei der Bevölkerung allgemeine zugängliche Spazierwege geöffnet. In Anwendung der Regel darf ich nicht mit ihnen sprechen. Aber wenn mir jemand eine Frage stellt, so antworte ich. Es sind meistens Personen, die das Bedürfnis empfinden zu sprechen und angehört zu werden. Einmal wurde es so gefügt, dass ich ein Ehepaar angetroffen habe, das in großen Schwierigkeiten war. Gemäß ihrem eigenen Zeugnis haben sie aus meinen wenigen Worten verstanden, wie sie auf einer neuen Grundlage weiterleben konnten. Das Ehepaar hat seinen Frieden wieder gefunden.

Am Abend bei der Culpa klage ich mich an, weil ich mit Leuten gesprochen habe. Die immer gleichen Regelverletzungen gehen dem neuen Abt auf die Nerven. Eines Abends ruft er mich in sein sehr komfortables Büro. Die Unterredung ist anstrengend. Der Abt regt sich auf und beginnt vor lauter Verärgerung zu weinen. Ich sage ihm, dass ich die Liebe der Klosterregel vorziehe, und frage, ob denn der Herr nicht gerade das von uns verlange. Entnervt jagt er mich zum Büro hinaus. Ich verlasse den Raum und mache einige Schritte im Gang. Plötzlich packt mich das Mitleid, und ich kehre zurück und klopfe an die Tür des Abtes. Die Unterredung endet damit, dass ich den Vorgesetzten um Vergebung bitte, worauf wir uns feierlich umarmen. Bevor ich ihn verlasse, verlangt er von mir das Versprechen, dass ich nicht mehr gegen die Regel sündigen werde, und fügt hinzu, dass ich nicht den Auftrag habe, geistliche Gespräche zu führen. Diese Bemerkung lässt mich überlegen: Warum überhaupt diese Bemerkung? Ich habe anlässlich dieser Begegnungen nie geistliche Lehren erteilt. Ich habe nur zugehört und einige Worte des Mitfühlens geäußert. »Für diesen Dienst«, sagt er mir, »muss man durch die Gemeinschaft beauftragt sein, und es sind die Vorgesetzten, die den Auftrag haben.« Ich fürchte, den wirklichen Wert der Rede des Oberen und gewisse Ängste zu verstehen. Ich will dieses Problem möglichst schnell ausräumen, warte aber noch, bis ich die Lage analysiere. Einige Zeit später vernehme ich, dass das Ehepaar, das mich im Wald angesprochen hat, den Abt angetroffen hat. Sie haben ihm eine Gabe geschenkt, um dem im Wald arbeitenden Mönch zu danken. Sie sind so froh, ihr Glück wieder gefunden zu haben. Ich erfahre, dass sie sich scheiden lassen wollten, bevor sie mich angetroffen hatten. Ich fange an, die Reaktionen meines Vorgesetzten zu verstehen. Je mehr ich mich in die Gemeinschaft einfüge, desto mehr wird mir bewusst, dass das Kloster nicht der Ort des Gebetes ist, für den ich es gehalten habe und wie man es der Welt darstellt. Es wird mir bewusst, dass ich in einer Irrlehre versinke, die nichts mit der Bibel zu tun hat. Die Geschehnisse folgen einander und gleichen sich durch das Fehlen von Wahrheit und Liebe. Aufrichtig frage ich mich, wo ich hingeraten bin und was Hervée und ich gemacht haben. Und ich kann nicht einmal mit ihr sprechen. Wie steht es mit ihr? Ich bin immer mehr völlig verwirrt. Ich beginne von neuem, Gott inständig zu bitten. Er allein kann mir Klarheit verschaffen und mich führen. Hervée und ich waren so glücklich, ihm unsere Leben zu weihen, ihm zu dienen und zu ihm zu beten.

Zur gleichen Zeit teilt mir der Abt einen neuen Beichtvater zu, was seine Pflicht und sein gutes Recht ist. Ich habe zwar kein volles Vertrauen mehr in diese Männer, aber ich sage mir, dass es ja das Beichtgeheimnis gibt. Ich unterbreite ganz kurz dem neuen Beichtvater meine Zweifel, was den Willen Gottes in meinem Klosterleben betrifft, die Auslegung und Anwendung der biblischen Aussagen, die Lehren der katholischen Kirche und die Wirkungslosigkeit unserer Gebete. Sehr bald merke ich, dass ich verraten werde. Ich bin aber eigentlich gar nicht so erstaunt darüber. Das Beichtgeheimnis gilt also auch nicht uneingeschränkt. Von jetzt an werde ich weniger naiv sein und mich folgsamer geben.

Meine Fragen darüber beschäftigen mich damit aber nicht weniger. Macht es Sinn, auf diesem Weg weiterzugehen? Leben auf Grund von Lehren, die sich auf menschliche Traditionen stützen? Ein liturgisches Leben, in dem die Heilige Schrift so wenig Platz hat? Ein Alltagsleben, das nichts zu tun hat mit dem Gebetsleben, an das die Welt glaubt? Gelübde, die nur durch wenige ausgelebt werden und oft nur unter Zwang oder um des Friedens willen und völliger Unfähigkeit zu reagieren? Alles breitet sich wirklich voller Fragezeichen vor mir aus, und ich kann mich nicht mehr weigern, es wahrzunehmen, und muss handeln. Ich suche weiter Gott und will ihm allein dienen und ihm angehören. Hervée und ich haben diesen Schritt getan in tiefer und reiner Absicht, den Herrn zu suchen, ihm zu dienen und zu ihm für uns und die ganze Welt zu beten. Ich will nicht einer Religion dienen, nicht einer Sache, muss aber zugeben, dass ich genau das tue. Ich diene einem System, das mich ständig mehr vom Herrn entfernt. Darf ich auf diesem Weg des Irrtums, der Lüge und der Heuchelei weitergehen?

Ich habe das Gefühl, dass ich in einer Welt der Finsternis lebe. Wenn ich bleibe und nichts unternehme, bin ich verantwortlich für die Folgen. Ich bin sicher, dass Gott in seinem Erbarmen mir die Kraft gibt, der Realität ins Auge zu sehen und mich ihr zu stellen. Ich führe mein tägliches Leben weiter. Ich will keine Unruhe provozieren, es gibt schon genügend. Ich bete und vertraue mich dem himmlischen Vater an, wie ich es selten getan habe. Ich habe den Eindruck, in einen Abgrund zu springen. Jedoch erfüllt mich ein tiefer Friede. Diese innere Ruhe bestätigt mich in meiner Absicht, meine Beobachtungen weiterzuführen.

Eines Tages entscheide ich mich, alles zu stoppen. Ich bereite einen Entlassungsbrief vor, den ich dem Vorsteher im passenden Augenblick vorlegen werde. Ich bin verschwiegen bezüglich meines Seelenzustandes, wie man im Kloster sagt. Mein Beichtvater weiß nichts mehr über mich. Er denkt, ich sei sehr fügsam geworden und habe mich zurückgezogen.

Die Zeit vergeht und das Datum für meine ewigen Gelübde nähert sich. Ich bin aber fest davon überzeugt, diesen Ort vorher zu verlassen – und dessen bin ich sicher –, welcher nicht unter dem Willen Gottes steht. Ich weiß nicht, was meine Frau erlebt. Ich kann sie nicht über die Ereignisse informieren und will es auch nicht tun. Wenn sie glücklich ist, habe ich nicht das Recht, ihr Leben durcheinander zu bringen. Wir haben diesen Schritt in beiderseitigem Einverständnis unternommen und waren beide von der Richtigkeit unseres Tuns überzeugt.

An einem Tag im Februar 1995 reiche ich meinen Rücktritt ein. Man verlangt von mir, noch einen Monat zu bleiben, damit ich einem müden und kranken Bruder helfen kann, sich auszuruhen. Ich willige ein, verlange aber, im Gästehaus zu wohnen.

Ich habe keine Kraft, ein meiner Ansicht nach gefährliches Spiel weiterzuführen. Ich denke nicht an die Zukunft, sondern vertraue voll meinem Gott. Um endlich zu versuchen, die Wahrheit seines Wortes auszuleben, verlasse ich das Kloster. Dank der Gnade Gottes habe ich die Kraft, diesen Schritt zu vollziehen. Es ist wahr, dass ich nichts mehr habe und mir der Gefahr der Zerstörung meiner Persönlichkeit bewusst bin. Fest in mir ist der Wunsch geblieben, den Herrn zu suchen und zu ihm zu beten; aber alles andere bleibt in der Schwebe. Ich weiß nicht, was der folgende Tag bringen wird.

Vor meiner Abreise richten einige Brüder das Wort an mich, obwohl sie dem Schweigegebot verpflichtet sind. Sie bitten mich, sie nicht zu vergessen und für sie zu beten. Sie loben meinen Mut, diesen Ort zu verlassen. Sie haben keinen Mut mehr; sie sagen mir sogar, ihr Wille sei gebrochen. Sie sind lebenslänglich eingeschlossen, um nicht zu sagen: begraben. Aber an diesem Tag brechen diese Brüder die Regel, um mit mir zu sprechen. In der Tat brechen sie dadurch aus ihrer Eingeschlossenheit aus. Ich bewundere ihren Mut, denke aber auch, dass es eher ein Mut der Verzweiflung ist. Ich werde diese Augenblicke der Wahrheit nie vergessen. Die Erinnerung an diese Männer ist in meinem Gedächtnis tief eingraviert.

Ich atme endlich frei und lobe den Herrn, dass er mich von dieser Finsternis befreit hat. Ja, ich lebte in der Finsternis, obwohl ich überzeugt war, dem Herrn zu dienen. Ich werde mir bewusst, dass die Macht einer Religion nichts mit der Macht des Glaubens zu tun hat. Die Religion erstickt und bindet uns als Gefangene einer Sache. Sie erlaubt dem Menschen nicht, sich zu entfalten gemäß den Verheißungen Gottes in seinem Wort. Ich entdecke mit Freude, dass der Glaube doch etwas ganz anderes ist als das, was ich im Laufe dieser Jahre der Verirrung gelernt habe. Der Glaube ist aktiv und gehorsam gegenüber Gott und setzt eine Kraft frei, die uns überrascht und uns erlaubt, auch das Unüberwindliche zu bezwingen.

Gott sei gepriesen für alles, was ich erlebt habe. Gemäß der Bibel (Psalm 9,11 und 1. Mose 28,15), »... *hast du nicht verlassen, die dich, Herr, suchten!*«

Ich richte mich, meinem Versprechen gemäß, für einen Monat im Gästehaus ein. Meine Zeit lege ich in Gottes Hand. Ich muss nun an die Zukunft denken und wieder einen Platz in der zivilen Gesellschaft finden. Trotz der Unsicherheit meines gegenwärtigen Lebens bleibt mir der innere Friede. Ich habe die tiefe Gewissheit, dass Gott schon den folgenden Tag vorbereitet hat.

Noviziat und Glaubensbekenntnis von Hervée

Das Noviziat dauert grundsätzlich ein Jahr für die Männer und zwei Jahre für die Frauen. Diese Dauer variiert je nach Gemeinschaft. Nach der Einkleidung nehme ich glücklich mein tägliches Leben auf. Während der Zeit meines Noviziats möchten drei junge Frauen neu ins Kloster eintreten. Sie verbringen eine gewisse Zeit als Zuschauerinnen; diese Zeit dauert minimal zehn Tage und maximal zwei Monate. Am Ende dieser Zeitspanne verlassen sie das Kloster wieder und treffen für sich die Entscheidung.

Ich verbringe mein Noviziat mit Leichtigkeit, obwohl angesichts meines Alters sehr viel von mir verlangt wird. Ich empfinde aber diese Strenge nicht als Last. Neben der regelmäßigen Folge der Gottesdienste muss ich verschiedene Aufgaben erfüllen. Einerseits verlangt die Vorsteherin von mir eine Studienarbeit über Bernard de Clairvaux, der wesentlich dazu beitrug, dass der Zisterzienserorden sich weit verbreitet hat. In meiner sehr spärlichen Freizeit muss ich diese Arbeit erledigen und andererseits künstlerische Gegenstände herstellen, die den Besuchern im Laden des Klosters verkauft werden. Ich muss alle Kurse und Konferenzen der Gemeinschaft besuchen, und zusätzlich habe ich seit kurzem noch eine weitere Aufgabe: Marmelade herstellen. Auch muss ich der Äbtissin zur Verfügung stehen, wenn sie eine Fahrerin braucht.

Im Kloster wird erst seit kurzem Marmelade hergestellt. In den Anfängen meines Klosterlebens habe ich darin einige Versuche angestellt. Der Erfolg ist dermaßen groß, dass die Oberen entscheiden, diese gute Einkommensquelle auszubauen. Ich bin also für diesen Teil auch verantwortlich. In wenigen Monaten gelingt es mir, ein Angebot von 25 Marmeladensorten, 2 Elixieren und 2 Likörs zusammenzustellen. An Festtagen sorge ich auch für die Verpackung der Schokoladenschachteln. Ich soll auch für den Klostergarten die Verantwortung tragen. Jedes Kloster hat seinen Ziergarten. Der unsere enthält Rosenstöcke, mit Platten ausgelegte Wege und verschiedene Blumenbeete. Die Oberin teilt mir mit, dass ich kein Budget für den Klostergarten habe; ich müsse mit dem auskommen, was vorhanden sei.

Ich sollte also sehr kräftig sein, damit ich alle mir obliegenden Arbeiten erledigen kann. Nach der letzten Messe am Abend bin ich aber todmüde. Die Grundausrüstung für die Marmeladenküche ist höchst spärlich; es gibt nicht einmal einen Wasseranschluss. Sie befindet sich zudem im zweiten Stock des Gebäudes. Das heißt, ich muss regelmäßig ins Erdgeschoß hinunterlaufen, um die Früchte und Geräte zu waschen und mich mit Wasser zu versorgen. Auch wenn ich unter so archaischen Bedingungen arbeiten muss, bin ich damit einverstanden. Ich wage zu hoffen, dass der sichtbare Erfolg der Klostermarmeladen die Oberen dazu motiviert, eine geeignetere Küche bereitzustellen.

Im Laufe meines Noviziats, mitten im Juli, fesselt eine Virusepidemie die meisten Mitglieder der Gemeinschaft ans Bett. Nur drei Schwestern bleiben verschont: die Köchin, die Kirchendienerin und ich. In diesem Moment gibt mir die Oberin den Befehl, auch noch als Krankenschwester der Gemeinschaft zu dienen. 16 Schwestern müssen das Bett hüten. Das bringt ein dauerndes Hin und Her mit sich. Die Kirchendienerin, die weniger

Arbeit hat, wäscht für mich das Mittagsgeschirr ab. Ich bin ihr dafür dankbar. Am Tag darauf finde ich sie beim Spülen des Geschirrs völlig in Tränen aufgelöst. Obwohl ich nicht das Recht habe, mit ihr zu sprechen, setze ich mich über dieses Gebot hinweg. Auf meine Frage erzählt sie mir, dass die Oberin durch die Köchin über den Dienst informiert wurde, den sie mir geleistet hat. Die Kirchendienerin wurde darauf gerufen und von der Oberin bestraft. Sie wurde anklagt, gemäß ihrem eigenen Willen und ihrer eigenen Initiative gehandelt zu haben. Sie habe die Regel gebrochen, obwohl ihre Geste nur eine schwesterliche Hilfe war. Ich bin erschüttert. Ich muss in meiner Zelle sehr darüber nachdenken. Es ist nicht das erste Mal, dass ich Zeuge von Szenen dieser Art werde. Aber diesmal kann ich nicht darüber hinweggehen, ich will es verstehen. Die Gemeinschaft erholt sich bald von der Epidemie und das Leben nimmt wieder seinen Lauf. Ich beschäftige mich in Gedanken weiter mit der Erinnerung an diese schmerzhafte Situation und beschließe, bei nächster Gelegenheit mit der Vorsteherin darüber zu sprechen.

Eine junge Postulantin bereitet sich auf ihre Einkleidung vor. Sie kann kaum lesen und überhaupt nicht schreiben, aber rechnen kann sie. Von ihrem Vater hat sie ein bisschen Geld. Die Äbtissin empfindet offensichtlich eine starke Zuneigung zu diesem Mädchen. Mehrmals überrasche ich sie beim Küssen. Jedes Mal versuche ich diejenige zu spielen, die nichts sieht. Bei einer Begegnung im Gang stellt mir dieses Mädchen seltsame Fragen. Ich schicke sie zur Oberin zurück und erinnere sie an das Schweigen, dem wir uns unterziehen müssen. Ihre Fragen lassen mich aber auf ihre Qualen schliessen. Sie möchte nicht in einem solchen Umfeld sein. Ihr Vater, der sie als Witwer allein erzogen hat, hatte sie ins Kloster eingewiesen, weil sie ihre Mutter im Alter von fünf Jahren verloren hat.

Es ist Sonntag. Sie begann mit den Exerzitien am 18. April und sollte am Donnerstag, 23. April, eingekleidet werden. Ich treffe sie im Lauf des Nachmittags. Sie wirkt verstört. Ich glaube, dass niemand sich Rechenschaft gibt, dass dieses Mädchen Schlimmes durchmacht. Ich möchte mit der Oberin sprechen, habe aber keine Gelegenheit. Ich bin machtlos. Wenn ich die Situation und die Beziehung der Oberin zur Kandidatin genau überdenke, so ist es besser, nichts zu unternehmen, da ich sonst höchstwahrscheinlich ohne Nachsicht auf meinen Platz gewiesen würde. Es ist sehr schlimm, wenn man sieht, wie eine Schwester im Kloster leidet, und wenn man dem keine Beachtung schenken darf und nicht helfen kann, weil die Ordensregel es so verlangt. Es bleibt mir nur das Gebet für sie. Die Tage vergehen schnell. Sie hat noch drei Tage vor sich bis zur Einkleidung. Das Eingreifen des Herrn ist dringend.

In der Frühe des 20. April, um 3 Uhr 45, höre ich Schläge aus einer benachbarten Zelle. Da ich den Auftrag habe, besonders auf die gesundheitlich angeschlagene Vorsteherin Acht zu geben, will ich sicher sein, dass sie in ihrer Zelle nicht wie schon einige Male hingefallen ist. Aber es betrifft nicht sie. Da die Regel uns verbietet, in die Zellen der Schwestern zu gehen, wecke ich die Vorsteherin und sage ihr, dass merkwürdige Geräusche aus der Zelle der jungen bald Einzukleidenden kommen. Schon bald ist es Zeit für die erste Messe. Eine Viertelstunde nach dem Messebeginn kommt die Oberin und gibt mir den Befehl, sie als Krankenschwester zu begleiten. Sie gesteht mir, sehr beunruhigt zu sein. Ich folge ihr zur Zelle der jungen Kandidatin. Die Türe ist eingedrückt. Das junge Mädchen hatte sich eingeschlossen. Sie liegt auf dem Bett. Ich untersuche sie und stelle fest, dass sie im Koma liegt. Ihr Blutdruck ist sehr tief. Sie hat rasendes Herzklopfen. Die Lage ist beunruhigend. Ich sage zur Äbtissin, dass das Mädchen sicherlich einen Selbstmordversuch unternommen habe und dass man dringend einen Arzt rufen sollte. Sie weist das zurück. Ich bestehe aber darauf und füge bei, dass ich wohl erste Hilfe leisten könne, aber dass ein Arzt dringend nötig sei.

Man sollte das Mädchen ohne Verzug ins Spital bringen. Endlich gibt die Äbtissin nach. Während wir auf den Arzt warten und ich die Patientin beobachte, fasse ich den Entschluss herauszufinden, welches Mittel sie bei ihrem Selbstmordversuch eingenommen haben könnte. So wird es möglich sein, dem Arzt Bescheid zu sagen, und im Spital kann man wirksamere Hilfe leisten. Ich finde sieben leere Röhrchen des starken Schlafmittels Rohypnol. Der Arzt bestätigt meine Diagnose. Er fragt mich, wie erste Hilfe geleistet wurde und ob ich eine Idee habe, wie sich alles zutrug. Noch bevor ich antworten kann, befiehlt mir die Äbtissin zu schweigen. Ich sage darauf, dass wir dem Arzt die Wahrheit sagen müssen, wenn wir dieses Leben retten wollen. Der Arzt unterstützt mich, und ich rede. Eine halbe Stunde später kommt der Krankenwagen und nimmt sie mit. Seufzer der Erleichterung! Sie wird wieder gesund werden; aber was für Konsequenzen wird das nach sich ziehen? In der Folge sieht sich die Äbtissin gezwungen, mir Nachrichten von dem Mädchen zu geben.

Das ganze Kloster ist erschüttert. Ich erhalte einmal mehr den Befehl, Stillschweigen zu bewahren. Die Oberin erzählt der Gemeinschaft eine sagenhafte Geschichte. Da ich die Tatsachen kenne, bin ich sprachlos über das, was sie erzählt; aber ich darf nichts sagen, ich bin gebunden durch das Schweigegebot, dem ich mich vor den Schwestern der Gemeinschaft unterziehe. Doch diese sind unbefriedigt von den Aussagen der Oberin und bedrängen mich mit Fragen. Wieder bin ich mit einer Lüge konfrontiert. Ich höre, dass das Mädchen in die psychiatrische Klinik eingeliefert worden sei. Ihr Vater stirbt bald danach. Das Mädchen wird unter Vormundschaft gestellt. Die Oberin sagt, sie sei selbstmordgefährdet. Ich teile ihr mit, dass sie Schlafwandlerin war. Mehrere Nächte hörte ich sie nämlich das Noviziat verlassen.

Die andere Postulantin zeigt Reaktionen. Man muss sich mit ihr beschäftigen. Das Klima im Kloster ist bedrückend durch seine Stille. Es gibt so vieles, das gesagt werden müsste, was aber unterdrückt wird im Namen einer Regel. Viele unnütze Vermutungen und viel leeres Murmeln vergiften die Herzen. Ist dieses Gesetz der Stille, das im Namen Gottes ausgeübt wird, eigentlich richtig?

Nun soll sich die zweite Postulantin auf die Einkleidung vorbereiten. Dieses Ereignis bringt vielleicht die Chance, das Kloster aus seinem bedrückenden Klima zu befreien. Sie wird Novizin. Es ist offensichtlich, dass man ein Pflaster auf eine infizierte Wunde geklebt hat, dass aber die Infektion weitergeht. Der neuen Novizin geht es nicht gut. Sie verliert an Gewicht und hat gesundheitliche Störungen. Eines Tages befiehlt mir die Oberin, mit ihr zum Arzt der Gemeinschaft zu gehen. Nach der Voruntersuchung werden wir zu verschiedenen Spezialisten geschickt. Der Arzt sagt, dass alle Probleme dieses Mädchens das Resultat einer völlig unausgeglichenen Ernährung seien, und wünscht, dass ich mit der Oberin spreche. Er gesteht mir, es schon verschiedene Male versucht zu haben, aber leider ohne Resultat. Die Oberin macht verschiedene Termine mit den Spezialisten ab und bittet mich jedes Mal, die junge Novizin zu begleiten. Die Diagnose ist immer die Gleiche: gesundheitliche Störungen, zurückzuführen auf eine falsche Ernährung. Persönlich schöpfe ich bei diesen Schritten Hoffnung auf eine Verbesserung unseres Klosterlebens. Meiner Ansicht nach und gemäß der Bibel verlangt Jesus von uns weder Kasteiung noch Abtötung des Fleisches; aber auch keine Misswirtschaft mit den Produkten, die uns anvertraut sind.

Da die Betroffene es so wünscht, und im Besitz aller medizinischen Berichte ist, suche ich die Unterredung mit der Äbtissin. Sie hört mir zu und nimmt Kenntnis von den Dokumenten, die ich ihr vorlege. Einen Moment lang hoffe ich auf eine Veränderung. Am Tag darauf wird sie sich mit der Novizin treffen, die mir versichert, sie werde alles tun, um mich über das Resultat der Unterredung zu informieren. Die Gelegenheit für eine »verbotene« Zusammenkunft ergibt sich, und ich vernehme, dass ihr die

Oberin am Schluss des einstündigen Gesprächs gesagt hat: »Willst du eine große Klosterfrau werden?« »Ja«, hat sie geantwortet. »Dann wirst du von nun an deinen Launen nicht mehr nachgeben. Du nimmst an, was man dir gibt, fertig, Schluss«!

So wird schon die Hoffnung auf eine Verbesserung der Nahrungsversorgung im Keim erstickt. Es wären keine neuen Kosten entstanden. Man kann also diesen Entscheid nicht »entschuldigen«, indem man sich auf das Gebot der Armut beruft. Ein etwas intelligenterer Umgang mit den uns zur Verfügung stehenden Produkten hätte genügt, die körperliche (und geistige) Gesundheit der Schwestern zu verbessern.

Einige Zeit später spricht die Äbtissin zu mir von den ersten Gelübden. Sie zeigt mir alle Bedingungen des Ordens, der Kongregation und der Gemeinschaft auf. Die Gemeinschaft wird darüber abstimmen, ob ich für den endgültigen Schritt angenommen werde. Wenn die Abstimmung günstig ausfällt, darf ich meinen Antrag handschriftlich stellen, dem Brief eine Liste beilegen von allem, was ich besitze, und mein Testament verfassen. Alle diese Papiere werden der Oberin übergeben. Wenn eine Kandidatin Wertschriften oder andere Vermögensteile besitzt, muss sie diese anlässlich des Ordensgelübdes der Äbtissin samt dem Vermögensertrag abgeben, die sie von nun an verwaltet. Es ist der Verzicht auf all meine Rechte.[17] Grundsätzlich macht man das zwar schon beim Eintritt ins Kloster, aber von nun an ist es offiziell und gilt gemäß dem vatikanisch-römischen Gesetz.

Es ist also angebracht zu gehorchen und daran zu glauben. In diesem fortgeschrittenen Stadium der Ausbildung und des Engagements ist es undenkbar, dass jemand irgendetwas, das von der Oberin kommt, in Frage stellt. Ich bin glücklich, auf diesem Weg des Dienstes für den Herrn voranschreiten zu können.

Später erkenne ich, dass wir wohl für den Herrn, aber nicht mit dem Herrn arbeiten. Seit unserer Kindheit sind wir von dem

Denken geprägt, dass Gottes Barmherzigkeit durch das Tun zu erlangen ist. So lehrt es die katholische Dogmatik. Das ist der grundlegende schwere Fehler von Roland und mir, aber im Augenblick bin ich mir dieses Irrtums noch nicht bewusst. Im Nachhinein wird mir klar, wie gefährlich es ist, einer Regel mehr zu gehorchen als Gott.

Ich bereite mich auf den Eintritt in die Retraite[18] vor. Die Vorgesetzte stellt mir das Thema der Retraite: die Regel. Ich sage ihr, dass ich es schätzen würde, den ersten Johannesbrief zu behandeln. Sie zögert etwas mit der Zustimmung und ruft mir vor allem in Erinnerung, dass ich für den Tag der ersten Gelübde handschriftlich mein Glaubensbekenntnis als Urkunde zu verfassen habe. Diese Urkunde müsse als Thema die Regel enthalten. Jedenfalls sei die Regel eine Kurzfassung des Evangeliums, sagt sie. Ich bereite meine Urkunde vor, die ich vor der Gemeinschaft und den Oberen laut lesen werde. Nach der Zeremonie soll ich das Schriftstück unterzeichnen, das dann durch vier Obere gegengezeichnet und im Besitz des Klosters bleiben wird.

Der Tag kommt. Die Zeremonie ist beeindruckend. Ausnahmsweise macht eine Oberin Fotos. Ich hoffe, dass ich auch einige bekomme. Ich bin mit dem schwarzen Skapulier bekleidet und bin nun Eingeweihte auf Zeit. Man fügt mich immer mehr in die Gemeinschaft ein. Ich habe immer viel Arbeit. Die Mutter Äbtissin vertraut mir noch weitere Arbeiten an, erstens den Dienst, vor jeder Messe die Glocken zu läuten, um die Schwestern zum Opus Dei, zu Konferenzen oder Versammlungen im Kapitelsaal zu rufen, wobei man lernen muss, je nach Anlass anders zu läuten, und zweitens die Vorbereitung der »lectures de vigiles«[19].

Ich trete also in diese gemeinschaftliche Klostergruppe ein. Ich verstehe, dass ich in großer Zurückgezogenheit, in der Demut, der Unterwerfung und dem Gehorsam leben muss. Ich muss alles in großer Stille annehmen, auch manche widersinnigen Befehle, und vor allem vermeiden, meine eigene Meinung auszudrücken, Vorschläge zu machen oder Initiativen zu ergreifen. Ich beginne zu verstehen, dass jede neue Funktion keinesfalls eine schon bestehende ablöst, sondern die Gemeinschaft von einer lästigen Aufgabe befreit. Ich weiß auch, dass man sich nie Rechenschaft gibt über die tieferen Beweggründe des neuen Mitglieds. Ich muss ein gehorsames, anpassungsfähiges, fügsames und stilles Wesen werden. Ich lerne meine aufsteigenden Ideen zu unterdrücken, die eine Verbesserung des täglichen Klosterleben bringen würden. Ich lerne Tag für Tag alles in meinem Innern zu vergraben, was ich sehe, höre und was mir zusammenhanglos erscheint.

Eines Tages wage ich die Vorgesetzte darauf anzusprechen, erhalte aber eine Abweisung, die das Gespräch sofort beendet und jede Lust zum Dialog unterdrückt. Sie sagt, ich habe noch den Geist der Welt in mir, obwohl ich doch der Welt abgestorben sei. Langsam lerne ich, darüber hinwegzugehen und nur auf den Schatten des Kreuzes zu sehen, auf das Herz des göttlichen Meisters, um meiner Liebe willen zu ihm. Ich muss mit meinem Antrag in mein Leben zurückkehren, mich in der Hauskapelle auf die Knie werfen und mich anklagen, dass ich es gewagt habe, Bemerkungen zu machen, die ich für gesund und zum Wohl der bestehenden Gemeinschaft ansah. Ich muss die Regel studieren und über die Nummer 50 des vierten Kapitels meditieren.[20]

Ich erlebe eine Situation, die ich lernen muss, regelgemäß in den Griff zu bekommen. Niemand soll merken, dass ich schwere Augenblicke durchlebe, die mich tief treffen. Alles spielt sich im Inneren ab unter einer Maske des Lächelns und der Gelöstheit. Ich stelle fest, dass die klösterliche Disziplin darauf zielt, meiner Persönlichkeit ein gleichgeschaltetes Wesen überzustülpen, das sich allen und jedem unterwirft. Ich muss denken, was meine Oberin denkt und was die vatikanisch-römische Institution denkt. Ich muss ein solides und fügsames Instrument werden. Ich muss das Bedürfnis nach Wahrheit und Liebe in mir ersticken.

Trotzdem die Tage völlig mit Arbeit aller Art ausgefüllt sind und ich täglich Situationen gegenüberstehe, die wenig nach dem Geschmack des Evangeliums sind, beschließe ich, mir Zeit zu nehmen für eine vergleichende Lektüre zwischen Regel und Evangelium.

Die Regel enthält 160 Texte aus der Bibel oder eher Teile von Bibelversen. Ich will mich in dieses Thema vertiefen und denke, später mit meiner Oberin darüber zu sprechen. Sehr große Fragezeichen türmen sich vor mir auf, und ich kann und will sie nicht einfach ignorieren. Ich versuche mir einen Weg zu bahnen durch dieses Dickicht von unbegreiflichen Zuständen, das mir vorkommt wie ein Irrenhaus. Ich rufe mir die Beweggründe in Erinnerung, die uns dazu brachten, den Weg ins Kloster zu sehen, aber jetzt kann ich einfach nicht über diese betrübliche Realität hinwegsehen. Was will ich eigentlich hier? Ich versuche mich durch das Lesen der Bibel und das persönliche Gebet zu stärken. Je mehr ich die Bibel lese, desto mehr konstatiere ich, dass ich meilenweit entfernt bin von dem, was sie uns lehrt. Wir alle erfüllen unsere täglichen Aufgaben, die durch die Institution, die römische Autorität diktiert und auferlegt sind; aber wir entfernen uns gefährlich von dem, was entscheidend ist. Wir singen Halleluja und Hosianna, aber ist das wirklich ein Gebet, das dem Herrn wohlgefällt?

Täglich stehe ich der Lüge gegenüber, falscher Unterwürfigkeit, der Verpflichtung, Buch zu führen über die Ave-Maria, der unerfüllten Meditation über den Schmerz als Mysterium. Alles kommt mir falsch vor – aber alles geschieht im Namen des Herrn. Die vergleichende Studie der Regeltexte und des Evangeliums lässt ein wenig Licht in mein Leben fallen.

Ich bin so allein wie noch nie. Ich kann meine Gedanken mit niemand teilen. Was wird aus Roland? Wie geht es ihm wohl? Es bleibt mir nur der Herr, und ich liefere mich ihm völlig aus. Meine Pflicht, die Glocken zu läuten, verschafft mir jeden Abend vor der Messe einige Minuten wahrer Stille und Einsamkeit, während denen ich zum Herrn rede und ihm meine Fragen anvertraue. Es ist der einzige Ort, wo ich nicht beobachtet werde.

Seit einigen Monaten sind zwei Gebete ununterbrochen in meinem Herzen: Psalm 25,5 »*Leite mich in deiner Wahrheit und lehre mich*« und Psalm 27,1 »*Der Herr ist mein Licht und mein Heil, vor wem sollte ich mich fürchten? Der Herr ist meines Lebens Kraft, vor wem sollte mir grauen?*« Ich werde mir der Kraft dieser Worte in mir bewusst.

Eines Tages, nachdem ich zur Nonenmesse[21] geläutet habe, bin ich allein in der Hauskapelle. Der Herr weiß, was ich durchmache. Er kennt die Fragen meines Herzens. Während der kurzen Augenblicke höre ich eine innere Stimme sagen: »Du bist im Irrtum, du wirst zur Lüge.« Ich bin im Frieden, aber erschüttert, und doch gewiss, dass Gott in seinem Erbarmen zu mir spricht. Ich lasse mich ansprechen und sehe plötzlich ganz klar, dass ich mich in einem Irrtum der Lehre befinde und dass ich auf diesem Weg nicht nur mich selbst, sondern die Welt und besonders Gott, meinen Vater, belüge. Ich kann dieser Lüge und ihren Konsequenzen nicht ins Auge schauen. Ich weiß jetzt, dass dieses Klosterleben falsch ist und dass ich auch den ganzen Katholizismus verlassen muss. Nun klärt sich alles; die Fragezeichen, die mein Herz belastet haben, sind verschwunden, ohne eine Spur zurückzulassen.

Ich habe soeben einige Minuten der Ewigkeit erlebt; kurze Minuten, die mir Frieden gegeben und Klarheit verschafft haben. Da sind Schritte zu hören, die Schwestern kommen. Ich beobachte sie diskret. Es gibt viele traurige Gesichter, harte, kalte, verbitterte und solche mit müdem Gang. Ich bin in der traurigen Lage, mir eingestehen zu müssen, dass die ganze Gemeinschaft im Irrtum ist, dass all diese Frauen zwangsläufig in ein Leben der Lüge hineingedrückt worden sind. Es ist das erste Mal, dass ich den Mut habe, sie wirklich in diesem Licht zu betrachten.

Warum habe ich eigentlich bis dahin die Wahrheit zurückgewiesen? Warum habe ich meine Augen verschlossen vor der täglichen Realität? Verblendet, indoktriniert, begierig, ein Leben der Treue gegenüber der Regel zu leben, habe ich die Wahrheit verneint. Glücklicherweise hält mich der Herr, und ich kann ihm in Reue alles vorbringen, das ganze Durcheinander, die ganze Sinnlosigkeit. Er richtet mich auf und gibt mir den Mut, aufrecht zu stehen und meine Pilgerreise fortzusetzen. Es gilt nun, in den nächsten Tagen wichtige Entscheidungen zu treffen. Ich breite alles vor dem Herrn aus. Er wird die Sache weiterführen. Ich bitte ihn um die Fähigkeit, ruhig und seinem Willen gemäß zu handeln, und zum Zeitpunkt, den er als gut befindet.

Nach der letzten Messe am Abend kann ich es kaum erwarten, wieder in der Stille und Einsamkeit meiner Zelle zu sein. Abgeschirmt von allen Blicken, bitte ich den Herrn, mir zu Hilfe zu kommen, das endgültige Verlassen des Klosters vorzubereiten und mich zu stärken, von allen Ketten des Katholizismus und der Institution befreit zu werden.

Ich bin gespannt auf den Tag der Beichte. Der Beichtvater, ein Bruder unserer Kongregation, kommt einmal im Monat. Ich erhoffe mir aufrichtig einen Dialog auf Grund von Wahrheit und Verständnis. Ich bin so von der Lehre eingenommen, dass ich immer noch an das Beichtgeheimnis glaube. Als der Tag da ist, bekenne ich dem Bruder, dass ich innerlich sehr aufgewühlt bin, und gestehe ihm meine Überzeugung, gegenüber der Bibel im Irrtum und in der Lüge zu stehen. Ein Schwall heftiger Worte unterbricht meine Beichte: »Für wen halten Sie sich eigentlich? Sie sind nicht besser als die anderen, und so wie sie werden Sie Ihr Loch graben und die Decke über sich ziehen.« Das empfinde ich weder als kalte Dusche noch als Unwetter, das über mich herbricht, sondern als einen Orkan. Ich bitte um die Erlaubnis, mich zu setzen und nehme die Unterredung trotz allem wieder auf, weil ich von dem, was ich zu sagen habe, überzeugt bin. Ich werde durch eine innere Kraft gestärkt. Als ich merke, dass der Beichtvater mich aus seiner Position der Stärke aus vernichten will, und den Zorn auf seinem Gesicht sehe, sage ich ihm, dass ich seine Absolution nicht brauche, da ich nicht mehr daran glaube, und dass es das letzte Mal ist, dass ich in diesem Beichtstuhl bin. Sehr schnell wird die Äbtissin über meine Beichte informiert. Das Beichtgeheimnis existiert also nicht, was mich gar nicht erstaunt; es ist auch nicht mehr so wichtig. Ich merke an der Haltung der Vorgesetzten, dass sie über alles informiert worden sind. Nun beginnt für mich ein schwerer Weg, der zehn lange Monate dauern wird. Gewisse Schwestern verzichten nicht darauf, mir Fallen zu stellen, und überhäufen mich mit Bosheiten und Lügen. Soweit möglich ertrage ich alles, nur bei allzu lügenhaften und absurden Situationen reagiere ich.

Jeden Tag werde ich getragen vom Herrn. Ich fühle mich stärker und habe trotz aller Not einen tiefen inneren Frieden. Bei jeder Gelegenheit decke ich auf, was gegenüber dem Wort Gottes Lüge und Widersinnigkeit ist. Die Äbtissin und ich haben einige hitzige Diskussionen. Eines Tages bitte ich um eine Unterredung mit dem Abt in Gegenwart der Äbtissin. Was ich ihm zu sagen habe, will ich in Gegenwart der Vorgesetzten sagen. Wir haben zwei Stunden anstrengender Unterredung. Dieser Obere hört mir aufmerksam zu. Wie wird seine Antwort lauten? Er zieht sein Notizbuch heraus, schaut lange hinein und kündigt dann an, sobald er von seiner Reise zurück sei, werde er der Gemeinschaft einen Besuch abstatten. »Andererseits«, sagt er, »haben wir beschlossen, Ihnen eine Verantwortung zu übertragen.«

Ich bin fassungslos, lasse mir aber nichts anmerken. Jetzt bin ich gründlich davon überzeugt, dass nichts die vatikanisch-römischen Säulen erschüttern kann. Was es auch kostet, die Oberen führen alle Befehle bis aufs Letzte aus, in totalem Gehorsam, in einer Unterwürfigkeit, die die uneingestandenen, aber sehr wohl vorhandenen eigenen Ziele vertuscht. Ich nehme mir trotzdem die Zeit, dem Abt zu antworten, dass ich nicht dafür ins Kloster gekommen bin, um eine Verantwortung zu erhalten, sondern um zu versuchen, ein Gebetsleben zu führen. Wie soll man nun beten inmitten von Verirrung und Lügen? Der Abt ist sehr selbstsicher und kennt seine Macht. Ich erhalte seine Antworten als großes Schweigen. Unnötig, darüber Worte zu verlieren!

Im Lauf dieser letzten Monate merke ich, dass ich abnormal stark an Gewicht verliere, nämlich zwölf Kilo innerhalb von drei Monaten. Und das, obwohl ich reichlich esse und ohne Probleme schlafe. Sicher arbeite ich sehr viel, aber ich bin es gewohnt. Die Reaktionen meines Körpers sind ein ernst zu nehmendes Alarmzeichen. Ich erhalte von der Oberin die Erlaubnis, einen Arzt zu konsultieren. Dieser, ein Freund der Äbtissin, ist nach einigen Untersuchungen völlig ratlos. Er ist mit der religiösen Obrigkeit sehr verbunden und deshalb auch sehr zurückhaltend in seinen Aussagen. Gleichzeitig wünscht er aber mich zu beschützen. Der Kontakt ist bereichernd, denn ich habe sogar die medizinischen und die Laborberichte einsehen können und kenne mich entsprechend aus. Die quälenden Zweifel verschwinden. Ich bin also nicht krank. Aber ich werde immer vorsichtiger und treffe entsprechende Schutzmaßnahmen. In der Tat werde ich an meinen Platz im Esssaal in letzter Zeit oft überraschend mit zusätzlicher Nahrung beschenkt. Da unsere Verpflegung sehr einfach ist, freue ich mich über diese Gunst, die mir erwiesen wird. Ich beschließe als erste Reaktion, von nun an völlig darauf zu verzichten. Tatsächlich bemerke ich nach vierzehn Tagen der Vorsicht eine körperliche Besserung. Mein Organismus findet wieder zu seiner Ordnung zurück. Nach anderthalb Monaten nehme ich deutlich zu. Aber auch das gefällt nicht allen Schwestern, bekümmert mich aber nicht weiter.

Wegen meines neuen Status' logiere ich in einer anderen Zelle, die einige Besonderheiten aufweist: Die Türe kann man bei Regen nicht schließen, ein Ablauf fließt frisch-fröhlich an einer Wand entlang, und nie dringt ein Sonnenstrahl ins Innere der Zelle. Bei der medizinischen Untersuchung hat der Arzt zwar einen Mangel an Sonnenlicht diagnostiziert. Das hört sich an wie ein Witz: Sonnenmangel am Mittelmeer! Im Winter ist es in der Nacht meist nur 13 Grad warm. Aber ich gewöhne mich daran.

Im Lauf dieser Monate werde ich informiert über die vielseitigen Aspekte der administrativen und finanziellen Belange unseres Klosters. Ich habe Zugang zur ganzen Buchhaltung, bin mir aber bewusst, dass diese Informationen nicht harmlos sind. Man will mich auf die Zeit nachher vorbereiten. Ich habe zwar die Gewissheit, dass ich diese Umgebung bald verlassen werde, weise aber keine Information zurück. Ich will möglichst viel kennen lernen. Bald kenne ich die Geschichte jeder meiner Schwestern und die Vergangenheit der ganzen Klostergemeinschaft. Ich erfahre traurige Tatsachen, bin aber darüber nicht erstaunt. Ich sehe in Situationen zweifelhafter Moral. Ich beobachte vieles und bin wie zufällig immer im richtigen Moment dabei. Ich sehe Dinge, die ich nicht sehen sollte, und höre, was ich nicht hören sollte.

Bald wird durch die Oberin eine Versammlung der Gemeinschaft angesagt. Es soll ein Gerichtsverfahren gegen eine Schwester eingeleitet werden. Ich wohne das erste Mal einer Zusammenkunft dieser Art bei. Die ganze Gemeinschaft mit Ausnahme der zwei jungen Schwestern ist versammelt, und die Gerichtsverhandlung beginnt. Ich bin zutiefst erschüttert. Wogen von in Worte gekleideter Gewalt, hasserfüllter Blicke und Gesten ergießen sich über die Angeklagte. Eine Oberin schüttet ihren Hass aus, indem sie mit ausgestrecktem Finger auf die angeschuldigte Schwester zeigt. Sie kann sich nicht mehr im Zaum halten. In solchen Momenten kommen alle unterdrückten Triebe hervor, und das ist alles andere als schön. Diese unkontrollierte Aggressivität zeigt, in welchem Maß diese Frauen geschädigt sind, um es einmal so auszudrücken. Nur eine betagte Schwester behält ihre Würde. Sie ist die Einzige, die eine wahre Berufung auslebt, und ich verstehe ihre Lebensbedingungen besser. Sie ist bei den anderen Schwestern der Gemeinschaft nicht beliebt und hat sich gleichsam in einen schrecklichen Individualismus eingemauert. Dieser Anlass hinterlässt in mir einen so furchtbaren Eindruck, dass ich beschließe, am nächsten Tag mit der Äbtissin darüber zu sprechen. Sie hat übrigens während des ganzen Abends kein einziges Wort gesagt. Sie ist dabei gewesen, das ist alles. Wer ist sie denn? Nach einer Sitzung, die an die zur Zeit von Robespierre angewandten Methoden erinnert, kehrt jede Schwester der Reihe nach schweigend in ihre Zelle zurück. Die Begierde einer jeden ist die Quelle von zerstörerischen Verirrungen. Wir sind also weit entfernt vom Wort Gottes. Herr, erbarme dich über all dieses Elend.

In meiner Zelle überdenke ich das, was ich soeben gesehen und gehört habe. Ich bin erschüttert von der abscheulichen Seite einer solchen Zusammenkunft, aber andererseits doch befriedigt, das erlebt zu haben, denn wenn man mir das erzählt hätte, würde ich es nicht glauben. Am anderen Tag verlange ich eine Unterredung mit der Äbtissin. Von Anfang an komme ich zum Kern der Sache und spreche mit ihr über den Abend, den wir erlebt haben. Ich sage ihr, dass sie als Äbtissin dieses Klosters vor Gott eine große Verantwortung trägt. Es sind ihre Töchter, welche das ausgeführt haben, was passiert ist. Erinnert sie sich an die Schrecken dieses Abends? Angesichts solcher Handlungen ist es wohl erlaubt, am Wert gewisser Gelübde zu zweifeln. All diese niedrigen und heftigen Aggressivitäten sind nur das Resultat von verdrängten Trieben. Warum unterlässt man es, bei der Ausbildung auch von der normalen sexuellen Energie des menschlichen Wesens zu sprechen?

Jetzt passiert etwas Erstaunliches. Die Äbtissin beginnt zu schluchzen und hat große Schwierigkeiten, sich wieder zu fangen. Für eine Sekunde habe ich Mitleid mit ihr, fange mich aber rasch wieder. Es ist nicht der Moment, schwach zu werden. Ich sage zu ihr: »Mutter Äbtissin, wenn Sie schluchzen, heißt das, dass etwas tief in Ihrem Herzen lebt.« Aber diese Frau darf ihre

Ergriffenheit nicht zeigen. Sie ist gefangen durch Rom und ihre Macht. Vielleicht hat sie während eines Augenblicks die Wahrheit erkannt. Ich werde diese Frau, die durch eine Institution gefesselt ist, bestimmt nie vergessen. Sie hat diese Situation angenommen und ist verpflichtet, das institutionelle menschliche Recht vor das göttliche Recht zu setzen.

Die Atmosphäre wird immer bedrückender. So kann ich nicht mehr lange weitermachen. Ich flehe den Herrn an, mir Licht zu schenken und mich zu führen. Ich muss gestehen, dass ich im Lauf dieser zehn Monate alle Möglichkeiten zur Flucht immer wieder durchdacht habe. Ich weiß über alle Schlüssel Bescheid. Aber diese Versuchung war nur von kurzer Dauer. Ich will durch das Portal und in aller Öffentlichkeit hinausgehen. Der Herr wünscht sicher nicht, dass ich von diesem Ort wie ein Feigling fliehe.

Am Sonntag, den 5. Februar fasse ich den Entschluss, das Kloster endgültig zu verlassen. Ich habe vollkommenen Frieden und fühle mich bereit. Am folgenden Morgen unterbreite ich der Äbtissin mein Entlassungsschreiben. Darauf folgt eine Unterredung, die ich erwartet habe: »Haben Sie das gut überlegt? Sie wissen doch, dass der Abt Ihnen gesagt hat, dass man Ihnen eine Verantwortung zuweisen will. Überlegen Sie gut und seien Sie sich bewusst, dass Sie nicht das Recht haben, das Kloster zu verlassen ohne entsprechendes Indult.[22] Nur der Abt kann es ausstellen, und er ist vierzehn Tage abwesend. Er ist in Kanada.« »Daran soll's nicht liegen«, antworte ich, »meine Entscheidung ist getroffen, und ich brauche dafür kein Austrittsindult.«

Ich fühle mich frei, befreit und stark. Ich weiß nicht, was mein Mann erlebt. Ich will ihn keinesfalls informieren und beunruhigen, denke aber trotzdem an die Zukunft. In einer Woche werde ich mich ohne jegliche Habe außerhalb des Klosters befinden. Ich weiß nicht, was mich erwartet, nur meine Abreise ist gewiss.

Noch vor dem Mittag des gleichen Tages ruft mich die Äbtissin zu sich ins Büro. Was hat sie mir wohl noch zu sagen? Sie kündigt mir an, dass sie soeben ein Fax erhalten hat, wonach Bruder Roland diesen Morgen seinen Rücktritt eingereicht hat. Wirklich? Ich kann's nicht fassen. Es ist ein unvergesslicher Augenblick. Aber sie ergänzt sofort, dass er sich als Geistlicher für die Jugendarbeit in einer katholischen Pfarrei in Lausanne gemeldet habe. Ich sage ihr, dass ich das nicht glauben könne, und bitte um die Erlaubnis, telefonieren zu dürfen. Sie erlaubt es, fügt aber hinzu: »Sie werden heute Abend nach 18.30 Uhr telefonieren, dann kostet es weniger.«

Um 14 Uhr halte ich es nicht mehr länger aus und telefoniere in die Schweiz. Es gelingt mir, mit Roland in Verbindung zu treten, und ich bitte ihn, mir die Mitteilung der Äbtissin über seinen Rücktritt zu bestätigen; das tut er gerne. Ich meinerseits informiere ihn ebenfalls über meine Entscheidung. Er ist überwältigt. Was sein Engagement in einer katholischen Gemeinde betrifft, handelt es sich um leere Gerüchte. Ich verstehe, dass man einmal mehr versucht hat, mich aus dem Gleichgewicht zu bringen. Da wir wissen, dass unser Gespräch überwacht wird, brechen wir unsere Unterredung ab.

Die Zukunft zeigt sich nun ganz anders. Wir werden uns wieder treffen. Aber im Augenblick müssen wir uns für die nächste Zeit auf unvorhersehbare Ereignisse gefasst machen. Zuerst will ich mit einer früheren evangelischen Freundin telefonieren, die mir damals, tief bedrückt von unserer Entscheidung, in ein Kloster einzutreten, gesagt hatte: »Was immer auch kommen mag, wenn ihr eines Tages beschließt, aus dem Kloster auszutreten, so ruft mich an.« Nach einigen kurzen Erklärungen verspricht sie, mich abzuholen. Alles Nötige werden wir nachher besprechen.

Ich beende fast alle gemeinschaftlichen und liturgischen Verpflichtungen und erledige nur noch eine Aufgabe, nämlich die Vorbereitung der Vorabendlesungen für das laufende Jahr. Es ist eine anstrengende Arbeit, und wenn ich sie nicht erledige, ist es eine schon überlastete, kranke und müde Schwester, die sie tun muss. Ich bin eingeschrieben für eine letzte Schriftlesung anlässlich einer Messe. Ich nehme weiterhin mein Essen im Speisesaal ein, bin aber sehr vorsichtig. Jetzt ist die Gemeinschaft bestimmt schon informiert über meinen Weggang, und in der Tat herrscht eine bleierne Stille während des Essens. Die eigentliche Natur der Schwestern entpuppt sich in solchen Zeiten. Ich habe keine Zeit, diesem Phänomen auf den Grund zu gehen, aber ich stelle es einfach fest. Alles, was ich nun noch sehe, bestätigt mir, dass ich richtig entschieden habe.

Verschiedene Schwestern suchen den Kontakt mit mir. Sie haben aber dazu kein Recht gemäß der Regel und den Befehlen der Vorgesetzten. Sie setzen sich aber darüber hinweg. Ihre Worte sind fast identisch: »Sie haben den Mut, diese Hölle zu verlassen. Wir können es nicht. Wir sind erledigt. Vergessen Sie uns nicht und bitten Sie für uns.« Wie viel unterdrückte Verzweiflung und wie viel stille Not in diesen Worten und Blicken. Ich bin mir bewusst, dass die Persönlichkeit dieser Frauen zerstört ist. In der Bibel, im Psalm 51,19 steht geschrieben: »*Ein zerbrochenes und zerschlagenes Herz wirst du, o Herr, nicht verachten!*« Doch hier handelt es sich um ein gedemütigtes Herz und nicht um die Vernichtung einer Persönlichkeit, wie es im Kloster geschieht.

Es ist mir klar, dass ich diese schmerzhaften vertraulichen Mitteilungen, diese Schreie der Verzweiflung niemals vergessen werde. Jeden Tag bete ich zum Herrn für sie und alle Nonnen auf der ganzen Welt. Ich kann all das nie mehr vergessen, was ich in diesem Kloster erlebt habe. Es handelt sich hier um Tatsachen von tief greifenden Abweichungen. Ich kann all die Opfer einer Lehre, die sich auf das Evangelium beruft, nicht vergessen, all die Opfer einer Überlieferung, die als heilig verkündet wird.

Ich bereite die wenigen Sachen vor, die mir geblieben sind, und warte auf den Montag, den 13. Februar, den Tag, an dem man mich abholen wird. Endlich ist er da. Drei evangelische Christen stellen sich im Kloster vor. Welche Erleichterung! Ich werde endlich diesen Ort der Irrtümer und der Finsternis verlassen und durch das hohe Portal mit der stets verschlossenen eisernen Türe schreiten dürfen. Zwei Vorgesetzte sind beim Einladen des Gepäcks dabei. Kurz vor dem Verlassen des Ortes lädt uns eine Schwester noch zu einer Tasse Kaffee ein. Sie kommt mit einem Tablett zurück, auf dem vier Tassen, Kaffeepulver, ein Krug mit heißem Wasser und Zucker stehen. Etwas erstaunt mich, aber ich schenke diesem Gedanken keine Beachtung: Die Schwester hat das Pulver schon in die Tassen geschüttet und verteilt die Tassen selbst. Ich trinke nichts. Meine Freundin, die großen Durst hat, trinkt auch meinen Kaffee. Zwei Stunden nach unserer Abreise wird es ihr schlecht. Wir helfen ihr, so gut wir können und bringen sie zum Arzt, sobald wir ankommen. Er stellt eine schwere Magen-Darmvergiftung fest, die auf den Kaffee zurückzuführen ist, den sie getrunken hat. Erst einen Monat später ist sie wieder völlig gesund.

Am Abend dieses Montags kommen wir zu einem wunderbaren Haus in der Haute-Provence. Ich kann mich etwas ausruhen und an die Zukunft denken. Dieses Haus ist im Besitz von wahren Christen und steht auf einem reich bewaldeten Hügel. Ein Ort der Schönheit, des Friedens, der nichts gemeinsam hat mit dem Ort, den ich verlassen habe. Ich möchte schlafen. Morgen werde ich in einem neuen Leben aufwachen. Am Anfang wird nichts einfach sein, aber ich setze mein ganzes Vertrauen auf Gott. Er hat bis jetzt alles treu geführt, und ich kann nicht anders, als ihm dafür dankbar zu sein.

Bevor ich die Nachricht über Rolands Austritt erhielt, hatte ich mir schon einige Gedanken bezüglich meiner Zukunft gemacht. Ich plante, eine gewisse Zeit auszuruhen und dabei eine Stelle als Krankenschwester in der Privatpflege zu suchen. Aber jetzt ist alles anders. Ich warte nun auf Roland, und wir werden dann zusammen entscheiden. So trennt der Herr nicht, was er vereint hat. Der Herr führt uns wieder zusammen. Markus 10,9: »*Was nun Gott zusammengefügt hat, das soll der Mensch nicht scheiden!*« Während dieser Wartezeit ruhe ich mich aus und studiere das Wort Gottes. Die Freunde, die mich umgeben, haben Zeit, und ich kann mich aussprechen, was für mich von größter Wichtigkeit ist. Alles im Leben ist plötzlich so verdichtet, dass es gar nicht so einfach zu leben ist. Ich verstehe, dass ich viel Ruhe und Geduld brauche und beten muss; ich habe sozusagen von neuem zu leben angefangen.

Ich bewundere diesen wunderbar leuchtenden Himmel der Provence und sage mir, dass auch morgen die Sonne wieder über dieser prächtigen Natur aufgeht. Alles trägt dazu bei, im Frieden auf Roland zu warten. Dann werden wir gemeinsam Entscheidungen treffen.

Einzigartiges Foto: Zwei Novizen zusammen. Gott hat dieses Zusammentreffen von einer Stunde Dauer mit Überwachung erlaubt.

Austritt aus dem Kloster

Wie kann ich meiner Freude Ausdruck geben, die ich am Morgen dieses 13. Februar 1995 empfand, als ich die Wunder sah, die der Herr tut? Er hat diesen Austritt mit einer unglaublichen Präzision vorbereitet. Er gab mir den Mut, die letzte Woche im Frieden zu verbringen. Ich komme mir vor wie Lazarus, als der Herr zu ihm sagte: »*Komm heraus!*« Ja, ich bin aus einem Grab gestiegen. Mein Herz singt ein Loblied zur Ehre des Herrn. Er ist der Sieger. Ich bin eine arme Sünderin, aber sein geliebtes Kind. Ich habe diese Einrichtung für immer verlassen. Die Sklavenketten, in denen ich so lange gefangen war, sind für alle Zeiten zerbrochen. Die Sache ist vorbei.[23] Der Gott der Wahrheit und des Lichts, der Gott des Evangeliums hat dieses Wunder vollbracht.

Roland hat versprochen, noch einige Wochen nach seiner Entlassung weiter zu arbeiten, um einem erkrankten Bruder die Möglichkeit zu geben, sich auszuruhen und zu erholen; dann wird auch er das Kloster Ende Februar 1995 verlassen.

Dank christlicher Freunde befinde ich mich nun in dieser Wohnung einer prächtigen Villa in der Haute-Provence. Während ich auf Roland warte, verbringe ich manche Stunden in aktiver Einsamkeit. Ich lese ständig die Bibel und denke viel darüber nach. Ich habe täglich die Gelegenheit, die Leiter dieses Hauses zu treffen, die mir geduldig zuhören und mich zu ihren Gebetsstunden einladen. Ich schätze ihre Fürsorge sehr. Es ist für mich wichtig, Menschen zu begegnen. Ich begleite sie bei ihren Einkäufen in der benachbarten Stadt. Mit ein wenig Geld, das man mir geschenkt hat, mache ich einige Einkäufe für meine Mahlzeiten. Es wird mir bewusst, dass ich kaum mehr einkaufen und kochen kann. Ich werde täglich mit der Welt konfrontiert, die ich verlassen hatte, und ich habe Mühe, damit umzugehen. Ich fühle mich bevorzugt, weil ich weiß, dass ich an diesem Ort bis Ende März oder sogar Mitte April bleiben kann. Ich darf mir diese notwendige Atempause gönnen.

Am Morgen des dritten Tages nach meinem Austritt aus dem Kloster wache ich völlig entprogrammiert[24] auf. Das ist ein sehr unangenehmer Zustand. Man erwacht, steht auf, aber das Gehirn scheint völlig leer zu sein. Man hat ein anderes Gefühl von Raum und Zeit, und der Raum scheint uns feindlich gesinnt, ungastlich und ohne jede Hilfe. Wenn man in diesem Moment nicht den Herrn Jesus hat, kippt man aus dem seelischen Gleichgewicht. Ich beeile mich, die Freunde zu treffen, die mich aufgenommen haben. Ich wiederhole ununterbrochen: »Ich bin entprogrammiert ... Ich bin entprogrammiert ...« Sie nehmen sich die nötige Zeit, um mir zuzuhören. Ich bin dankbar für diese Aufmerksamkeit, aber ich weiß, dass ich selbst wieder zu mir finden muss. Ich realisiere auch, wie mutig diese Leute sind, die mich am Anfang dieses neuen Lebens umgeben. Wir sind gleichsam auf zwei verschiedenen Planeten. Ich bin mir dessen bewusst, bewundere sie und habe Respekt vor ihnen.

Glücklicherweise darf ich in der Haute-Provence die prächtige Natur genießen, ein überfließender Farbenreichtum, begleitet von anregenden Wohlgerüchen. Die Markttage sind mir eine wertvolle Hilfe. Ich nehme mir Zeit, zwischen den Ständen umherzugehen und alles anzuschauen, Gerüche wahrzunehmen und zu horchen. Ich erlebe bereichernde und stärkende Augenblicke. Der südfranzösische Tonfall dieser Leute, wie sie frei von der Leber weg reden, alles entzückt mich. Eine Art Melodie, gewürzt mit all diesen Empfindungen, überfällt mein ganzes Wesen. Es ist eine Freude, diese Gesichter anzuschauen, die geprägt sind von der Sonne und dem kalten, stürmischen Wind im Rhonetal. Ihre Hände sind gezeichnet von harter Arbeit. Es macht mich glücklich, wenn sie mich ansprechen, und ihre Worte fallen bei mir wie in einen Tresor. Dann die Wohlgerüche der Naturprodukte! Ich atme sie ein und lasse mich von ihnen mitreißen. Endlich darf ich sie wieder in mich aufnehmen, die Lavendelbüschel, den Rosmarin und den Thymian berühren, sodass meine Hände getränkt werden von diesem Duft. Bei diesen Besuchen auf dem Markt überkommt mich ein besonderes Glücksgefühl.

Die Händler ahnen nicht, dass ich eine ehemalige Nonne bin, und das beruhigt mich, denn ich könnte diese Augenblicke nicht so voll genießen, wenn sie meine Geschichte kennen würden. Ich hätte nicht den Mut, ich selbst zu sein. Ich strenge mich an stillzustehen, wenn die Leute mich ansprechen. Ich schaue ihnen in die Augen. Aber das fällt mir gar nicht leicht, und wenn ich auf meine Empfindung hören wollte, würde ich flüchten. Ich bitte den Herrn, mir zu helfen, diese wichtigen Momente zu meistern. Sie sind mir nämlich sehr nützlich für den Wiederaufbau meiner Persönlichkeit. Ich will diese Phase der Resozialisierung durchstehen. Ich bin wie ein Puzzle aus mehr als tausend Teilen, die geduldig wieder zusammengesetzt werden müssen. Das wird seine Zeit dauern.

Ich schätze alles, was mir angeboten wird, um mir zu erlauben, meine Zukunft zu planen. Und wenn ich dann allein bin, überlege und analysiere ich gewissenhaft und wäge alle Einzelheiten ab. Ich warte auf die Ankunft von Roland. Wir werden uns dieser harten Arbeit gemeinsam unterziehen. Ich habe jetzt schon die Sicherheit, dass wir keinen Psychiater brauchen für diese delikate, arbeitsvolle und schwierige Zeit. Roland meldet, dass er Anfang März kommen werde. Am Tag seiner Ankunft bereite ich das Essen für alle zu, wie es mir meine Gastgeber geraten haben. Die Besitzerin des Hauses ist auch dabei. Es ist eine Schweizerin. Sie ist Apothekerin in Genf und eine echte Christin. Wir werden sieben Personen sein. Ich bereite eine fröhliche Tischdekoration vor. Ich gestehe, dass ich glücklich, aber noch sehr ungeschickt bin. Aber ich stürze mich in die Arbeit und strenge mich aufs Äußerste an. Alles ist bereit. Ich gehe Roland entgegen, den ich seit so langer Zeit nicht mehr gesehen habe. Ich habe inneren Frieden und will mein Gehirn nicht mit unnützen Fragen belasten. Der Herr hat die Wahrheit in unserem Leben wieder hergestellt, er hat alles vollbracht, wie es der Ordnung entspricht. So habe ich Vertrauen. Bald kommt ein Wagen. Roland steigt aus und wir begegnen uns sehr einfach, im Frieden und in der Freude. Es ist gerade so, als hätten wir uns erst am Vorabend verlassen.

Die Mahlzeit schmeckt allen, und wir finden uns anschließend beide wieder, einander gegenüber und glücklich. Nach der ersten gemeinsamen Nacht erwachen wir in der Stille der Provence und unter einer Sonne voller Leben und Freude. Heute beginnen wir unseren gemeinsamen Weg der Wiedereingliederung, der Resozialisierung, der geistlichen, physischen und psychischen Heilung.

Im Laufe der folgenden Tage stellen wir fest, dass unsere Geschmacksempfindung verloren gegangen ist. Wir erinnern uns, gelernt zu haben, dass die Geschmackserinnerung nach fünf Jahren verloren geht, eine Tatsache, die seit Jahren wissenschaftlich feststeht. Deshalb sind wir so ungeschickt, wenn es darum geht, Nahrungsmittel einzukaufen, und deshalb habe ich große Mühe, die Speisen richtig zu würzen. Es braucht drei Jahre, bis das Geschmacksgedächtnis wieder aufgebaut ist, und noch mehr Zeit, um es zu verfeinern.

Diese Tatsache ist ein wichtiges Element zur Manipulation des Menschen. Im Kloster entspricht dies einem Gebot der Regel. Es sagt, dass jegliche Ausschweifung und Unmäßigkeit vermieden werden muss, damit niemals ein Mönch von Verdauungsbeschwerden geplagt wird. Wohlgefallen am Geschmack zu finden, wird als Sünde betrachtet. Der Mönch isst nur, um sich zu stärken. Wir haben beide im Kloster beobachtet, dass die Mönche und Nonnen das essen, was ihnen vorgesetzt wird, ohne zu beachten, was eigentlich auf dem Teller liegt.

Wir sind uns beide im Klaren über den Weg, der uns nun erwartet, und sind sehr dankbar für diesen Aufenthalt in der Provence. Die Besitzerin des Hauses nimmt uns kostenlos auf, und es wurde uns auch eine bestimmte Geldsumme übergeben für die nötigen persönlichen Ausgaben. Wir hatten das Gelübde der Armut abgelegt und alles hergegeben, was wir besaßen, im Gehorsam gegenüber der Regel und den Vorgesetzten. Wir besitzen also gar nichts mehr, aber wir sind frei und stehen in der Freiheit, die Gott seinen Kindern verspricht. Wir sind heiter und vertrauensvoll. Jedem Tag reicht seine eigene Mühe.

Es ist nicht möglich, die zehn Jahre zu verschleiern, während denen wir «fertig gemacht» worden sind. Unsere Persönlichkeit wurde zerbrochen, und wir müssen das Leben von neuem lernen. Diderot hat 1760 einen Text geschrieben, der 1796 im Werk *Die Nonne* veröffentlicht worden ist.

> Das ist die Wirkung der Einkehr. Der Mensch ist für die Gesellschaft geschaffen. Trennt ihn. Isoliert ihn. Seine Ideen geraten durcheinander. Sein Charakter verändert sich. Tausend lächerliche Gefühlsregungen kommen in seinem Herzen auf. Überspannte Gedanken keimen in seinem Geist wie Dornen auf wildem Gelände. Stellt einen Mann in einen Wald. Er wird wild werden. In einem Kloster, wo die Idee der Notwendigkeit sich mit der Idee der Knechtschaft paart, ist es noch schlimmer. Man verlässt einen Wald. Man verlässt ein Kloster nicht mehr. Man ist frei im Wald. Man ist Sklave im Kloster. Es braucht vielleicht noch mehr Kraft, Widerstand gegen die Einsamkeit zu leisten als gegen das Elend. Das Elend entwürdigt. Die Einsamkeit beeinflusst negativ.

Dieser Text von Diderot ist durchsetzt von Wahrheiten. Im Schoß des Klosters gilt jedes Wort gegen die Gedankenfreiheit als sehr negativ. Das Klosterleben zerstört das soziale Beziehungsnetz. Das geistliche Beziehungsnetz wird ebenfalls zerstört, weil es umgeleitet wird. In der Tat lehrt man uns den Bezug zur Tradition, zur geistigen Macht, zur Klosterregel und schließlich noch zum Wort Gottes. Und wir müssen alles andere hinter uns lassen, was unsere menschliche, familiäre, berufliche und zivile Gesellschaft für uns vor unserem Eintritt ins Kloster gewesen ist. Danach erben wir von einem Vorgesetzten, der für uns Christus ist und den wir wie ihn verehren müssen. Nach zehn Jahren Klosterleben, um dem Herrn zu dienen und ihm zu gehören, meinen wir berechtigt zu sein, von den katholischen Klöstern zu sagen, dass sie Fallen und gefährliche Fallstricke sind für alle Seelen, die sich auf einem Weg in der Gottesfurcht engagiert haben. Diese Orte sind verantwortlich für den Ruin der körperlichen, seelischen und geistigen Gesundheit der Personen, die dort eintreten und sich verpflichten. Sie dienen nur dazu, kirchliche Institutionen an der Macht zu halten und sich der Ausbreitung der Wahrheit und der Freiheit der Bibel zu widersetzen. Alle Anstrengungen des klösterlichen Lebens sind Kurse zur Umerziehung des Willens, hin zu einem blinden Gehorsam, zu einer moralischen Gymnastik und sind ein Training zum Heldentum.

Die Bibel sagt aber Folgendes:

in Johannes 8, 32: »*Die Wahrheit wird euch frei machen.*«

in Galater 5,1: »*Für die Freiheit hat uns Christus frei gemacht.*«

und in Galater 5,13: »*Ihr seid zur Freiheit berufen.*«

Im Kloster benützt man eine Regel, um das Gebet der Diktatur der Askese unterzuordnen. Gemäß der Regel heißt Mönch werden, Soldat Christi sein. Wenn man das erlebt, versteht man eines Tages, dass das Gebet, der Gehorsam, die Armut und die Reinheit militarisiert worden sind. Welcher Gegensatz zwischen der Disziplin des Klosters und dem Geist des Evangeliums! Wie hat man sich doch vom Evangelium weit entfernt! Was für ein Durcheinander herrscht in den Herzen dieser Männer, die eine Menge unterwürfiger und abergläubischer Praktiken sowie eine verblüffende Anzahl von Lehrsätzen im Namen Gottes befehlen. Wie kann die Bibel, Gottes Wort, als Grundlage dienen für ein solches Gerüst? Wenden wir uns besser dem schönen Gedanken Pascals zu: »Ohne die Heilige Schrift, die nur Jesus Christus zum Gegenstand hat, kennen wir nichts.«

Wer sich unter dem Schutz des Herrn herausfordern lässt und sich entscheidet, dieses von der Realität Jesu Christi so weit entfernte System zu verlassen, muss einen langen Weg der Wiedereingliederung auf sich nehmen. Mit dem Herrn ist dieser Weg möglich, weil er da ist und wacht.

Wir bleiben in der Haute-Provence bis Ostern. Während dieser Zeit widmen wir uns ausgiebig dem Gespräch und praktizieren so eine Form von Psychotherapie. Heute wissen wir, dass diese Methode eine wahre Quelle der Gesundung war. Wir üben sie zu zweit unter dem Blick Gottes weiterhin aus. Wir leben eine Stunde nach der andern, haben keine Sicherheit, keine Existenzgrundlage, keinen sicheren Unterschlupf. Wir haben Vertrauen und bleiben gelassen.

An Ostern verlassen wir diese Oase des Friedens und fahren in Richtung Schweiz. Am späten Abend kommen wir in Genf an, erschöpft, außer Stande etwas zu unternehmen und völlig abhängig von einigen selbstlosen und großzügigen Leuten. Wir bleiben drei Wochen in Genf, einige Tage in einem Hotel, einige weitere Tage in einer Einzimmerwohnung und vierzehn Tage in der Wohnung der Apothekerin, der das Haus in der Haute-Provence gehört. Heute pflegen wir eine schöne Freundschaft mit dieser Christin. Die vierzehn Tage kommen uns vor wie eine Gnadenzeit für uns zwei. Wir schätzen die behutsamen und unauffälligen Aufmerksamkeiten der Apothekerin sehr.

Eines Tages beschließen wir, einen ganzen Tag in der Stadt Genf herumzuspazieren, um in die Geschäftigkeit der Stadt einzutauchen und unsere Reaktionen zu testen. Was für ein Tag! Es ist das erste Mal nach zehn Jahren Klosterleben, dass wir uns gemeinsam unter die Leute einer großen Stadt mischen, in der die Menge und der Lärm bedrohlich auf uns wirken. Es braucht eine große Anstrengung unsererseits, dieser Situation die Stirn zu bieten. Wir haben Angst, den Leuten ins Gesicht zu sehen, und befürchten, sie könnten auf unserer Stirn lesen: »Mönch und Nonne«. Wir bemerken, dass wir ausweichen und mit dem Kopf nicken, wenn jemand vorbeigehen will, und lesen dann ihr Erstaunen in den Gesichtern. Wir müssen hier hervorheben, dass das mönchische Verbeugen eben nicht nur eine einfache Verbeugung, sondern ein Zurücktreten und Zurückstehen ist. Es ist eine Kunst, das richtig zu machen. Die Vorgesetzten verwenden viel Zeit, um das den Kandidaten beizubringen. Aber jetzt korrigieren wir uns gegenseitig mit lauter Stimme: »Wir sind nicht mehr im Kloster.« Zum Mittagessen trauen wir uns nicht, in einem Restaurant Platz zu nehmen. Wir machen uns gegenseitig Mut, in einem Schnellimbiss zwei Sandwiches und zwei Flaschen Mineralwasser zu kaufen, was für uns schon eine Meisterleistung darstellt. Wir finden ein abgesondertes Plätzchen zum Essen und um unsere Eindrücke auszutauschen. Am Abend kehren wir erschöpft heim, von Kopf bis Fuß voll erfüllt vom Großstadtlärm. Unser Kopf scheint zu platzen, und wir haben den Eindruck, er sei viermal größer geworden.

Roland schläft gut, während ich jede Nacht vom Kloster träume. Beim Frühstück erzähle ich ihm meinen Traum und wir analysieren ihn. Eines Nachts habe ich einen Albtraum, der mich ratlos macht und viele Fragen aufwirft. Ich muss mit jemand darüber sprechen können, um ihn zu analysieren. Da die Gastgeberin anwesend ist, bitte ich sie um Hilfe. In diesem Traum waren alle Schwestern unserer Klostergemeinschaft in Dinosaurier verwandelt. Ich habe jedes Gesicht und jeden Blick wieder erkannt. Sie hatten ihre Arme erhoben und bildeten einen Kreis, der sich um mich schloss. Ihre Körper waren bedeckt mit grünen Schuppen. Ihre Finger waren zu langen Krallen verlängert. Als ich sah, dass ich immer weniger Bewegungsfreiheit hatte, habe ich eine Hand hochgehalten. Eine Art Axt kam hervor, und ich habe alle Hände der Schwestern abgeschnitten. Sie konnten mir nicht mehr wehtun. Mein Erwachen war schrecklich. Wer bin ich denn, dass ich zu solch einer Handlung fähig bin? Die Apothekerin hört mir zu und sagt mir dann: »Hervée, du hast sie nicht getötet, du hast sie nur gehindert, dich zu zerstören. Das war eine Schutz- und keine Angriffshandlung.« Dieser Satz hat mich beruhigt und mir den Frieden zurückgegeben.

Roland und ich sprechen stundenlang miteinander. Wir lesen die Bibel, beten und machen kleine Spaziergänge.

Ende April verlassen wir Genf und begeben uns nach Perroy, einem kleinen Dorf im Kanton Waadt, am Ufer des Genfersees. Wir kommen in eine Weinbaugegend. Man nimmt uns in einem großen Haus auf, einem christlich-missionarischen Heim. Eine Wohnung wird uns zur Verfügung gestellt. Diese Leute sind sehr liebenswürdig und zuvorkommend zu uns. Sie nehmen uns in ihre Gebetsgemeinschaft auf. Sie hören uns zu, und ihre Diskretion ist bemerkenswert. Sie vertrauen uns ein wenig Arbeit in ihrem Haus an, was unser Selbstwertgefühl steigert.

Wir bleiben fünf Wochen in Perroy und nutzen diese Zeit, um mit unserer Zweiertherapie weiterzumachen und uns auszuruhen. Wir leiden beide an einer großen Müdigkeit. Die Ernährung im Kloster hat unseren Organismus geschwächt, sodass wir an vielen Mangelerscheinungen leiden. Das Leben im Kloster hat das Wesentliche in uns zerstört. Die Ruhe, der Schlaf und eine gute Ernährung sind für uns eine große Hilfe zur Heilung.

Wir bitten den Herrn, uns weiter zu führen, und fassen den Entschluss, eine Bleibe, eine Wohnung und Arbeit zu suchen. Eines Tages erkennen wir, dass der Herr uns eine besondere Gegend wichtig macht, das Vallée de Joux. Verschiedene Hinweise bestätigen diese Wahl. Während der vergangenen Zeit durften wir dank des Herrn Hilfe vielen Christen aus verschiedenen Gemeinden und Gemeinschaften begegnen, was uns sehr nützlich sein wird. Im Kloster hatten wir keinerlei Information. Jetzt entdecken wir eine beeindruckende Zahl christlicher Versammlungen und Glaubensgemeinschaften. Wir schätzen diese lehrreiche Zeit sehr und werden alles im Licht der Bibel betrachten. Die christlichen Informationen sind so zahlreich und unterschiedlich, dass wir uns ohne Bezug auf die Bibel verirren könnten. Wir entdecken, wie dringlich wir Gottes Bewahrung brauchen. Wir müssen wachsam sein und fähig zu unterscheiden.

Nach dem Wirken des Herrn, der die wichtige Entscheidung in uns entstehen ließ, das Kloster und den Katholizismus zu verlassen, genießen wir endlich gemeinsam einen wirklichen tiefen Frieden. Der Herr hat alle Illusionen der Religion zerstört, auch diejenigen, die uns motivierten, ins Kloster einzutreten. Für einen treuen Katholiken bedeutet das Verlassen der Religion ein Drama. Man bringt ihm von jeher bei, dass es außerhalb der römisch-katholischen Kirche kein Heil gibt und dass diese Kirche die einzig wahre sei. Wenn er sie verlässt, begeht er eine unverzeihliche Sünde, eine Todsünde. Der treue Katholik ist vom Verrat überzeugt, der weniger gut Informierte wird beunruhigt von einer abergläubischen Furcht, die seine Objektivität völlig durcheinander bringt.

Wir denken, dass ein aufrichtiges Herz, das wirklich die Wahrheit von Jesus und das Heil sucht, sich dafür entscheiden muss, den Katholizismus und die katholische Kirche zu verlassen. Die katholische Kirche ist nicht die Kirche Jesu Christi. In ihrer Lehre gibt es viele Scheinbeweise. Zudem ist es für einen praktizierenden Katholiken wegen des Versprechens des Gehorsams gegenüber der Überlieferung sehr schwierig, Jesu Wahrheit zu finden.

Im Kloster ist diese Schwierigkeit noch größer wegen des Gelübdes des Gehorsams, das den Menschen in eine entwürdigende Abhängigkeit einschließt und in einem eingezäunten Gebiet festhält, in welchem strengste Zensur herrscht. Im Kloster gibt es keinen Zugang zu irgendwelcher freien Lektüre. Es darf nur gelesen werden, was verordnet ist. Wer das Kloster verlässt, verliert die Achtung von vielen. Man wird als Abtrünniger, Stolzer, Ketzer und psychisch Gestörter behandelt. Diese letzte Bezeichnung wird mit viel Erfolg im Innern eines Klosters angewandt. Sie gibt Lösungen für alle problematischen Situationen, erlaubt Verhöre, Infragestellungen und, was am schlimmsten ist, erlaubt den Vorgesetzten, makellos aus allen Situationen herauszukommen.

Die Welt darf nicht wissen, was innerhalb der Klostermauern vor sich geht. Übrigens gilt das staatliche Recht innerhalb dieser Grundstücke nicht. Man sieht es, wenn sich im Vatikan oder in einem Kloster ein Drama abspielt: Die Justiz kann nicht eingreifen. Es ist interessant festzustellen, dass jedes Kloster von der Gastronomie lebt. Wir wissen, wie oft diese Orte in der zivilen Welt vom Hygieneinspektorat kontrolliert werden. Eines Tages erlaubte ich mir innerhalb meines Auftrages eine Bemerkung bezüglich der Hygiene in der Küche und den Nebengebäuden des Klosters und argumentierte dabei, dass wir bei einer Inspektion durch die Behörden gezwungen wären, die Pforten der Hotellerie zu schließen. Meine Oberin hat mich darauf sofort darüber informiert, dass die Gesetze jegliche weltliche Intervention verbieten.

Von dem Augenblick an, als der Herr die Ketten zerbrach, die uns als Gefangene der Institution zurückhielten, schauten wir die Mönche und Nonnen mit klarem Durchblick an. Wir bitten Gott, in ihren Seelen die Lichter leuchten zu lassen, die er uns gewährt hat. Einige dieser Frommen sind sich der Verheerung und der Irrtümer bewusst, die der Feind in ihren Klöstern versteckt und unterhält, aber sie sind gefesselt mit den schweren

Ketten des Gehorsams und der Angst. Ihre Persönlichkeit ist inzwischen zerbrochen; sie sind unfähig, ein Leben der Freiheit zu führen.

Bei unserem Austritt haben wir aufgehört, Mönch und Nonne zu sein, um wieder das zu werden, was Gott will: ein freier Mann und eine freie Frau, und das als Kinder Gottes auf Grund seiner Verheißung. Wir sind nicht mehr wie Leichname; wir haben unseren Platz wieder gefunden unter den Lebenden, die von Christus losgekauft worden sind. Der Herr hat unsere Sklavenketten zerbrochen, und wir sind aus dem Grab herausgetreten. Seither leben wir für Jesus und mit Jesus. Er ist unser Licht und unser Heil. Wir sind mit ihm vereint in Prüfungszeiten und in Zeiten des Wohlergehens. Er steht treu und ohne Vermittler zu seinen Verheißungen. Das lange Dahinwandern ist aber noch nicht zu Ende. Wir müssen feststellen, dass wir lange brauchen, um der Kindheit abzusterben und langsam zu reifen. Und der Übergang vom Jüngling zum Mann geschieht auch nicht in einem Tag.

Gott in seinem Mitleid kennt das Herz des Menschen, und er schaut ihn voller Erbarmen an. Sind wir uns dieser unendlichen Weite seiner Liebe bewusst? Wir beide sind überzeugt von Gottes Verheißungen und leben davon.

Der Einzug

Wir kannten das Vallée de Joux nicht besonders gut. Vor vielen Jahren kamen wir manchmal auf Reisen vorbei. Wir hatten einst auch eine Gruppe Jugendlicher begleitet anlässlich eines Tages der offenen Tür in der Uhrenindustrie. Also machen wir uns auf die Suche nach einer Wohnung, die wir in Les Bioux finden, einem Dorf in der Mitte der Schlucht[25], ganz in der Nähe des Sees (Lac de Joux). Diese Region, eine breite Schlucht (französisch: la combe) mit harmonischen Formen, ist landschaftlich sehr schön. Ihre Bewohner werden »les Combiers« genannt. Gemäß der Geschichte haben sie in früherer Zeit mehr oder weniger zurückgezogen nur unter sich gelebt. Das hatte Auswirkungen auf den Charakter und ihre Natur, hat aber auch ihre Liebe zu ihrer Heimat entwickelt und ihre Wurzeln gefestigt.

Eine kleine Gruppe von Christen aus der Region empfängt uns. Wir sind froh, dass uns überhaupt jemand aus dem Ort empfängt und uns mit dem Nötigsten versorgt. Als wir zur Tür unserer zukünftigen Wohnung kommen, treten wir zur Seite und überlassen das Hineingehen denjenigen, die gekommen sind, um uns zu helfen. So stark sind wir immer noch vom Klosterleben geprägt, aber wir arbeiten täglich daran, frei zu werden.

Es ist ein ganz besonderer Augenblick. Nachdem wir eingezogen sind mit dem wenigen, das wir haben, lässt man uns allein. Es ist wieder eine Buchseite, die umgelegt wird. Eine neue Etappe beginnt. Von morgen an müssen wir alle administrativen Belange in Ordnung bringen. Wir müssen uns in der Gemeinde einschreiben, beim Arbeitsamt vorsprechen, wo wir hoffen, eine Arbeit zu finden, und wir müssen an die Versicherungen etc. denken.

Es ist der 7. Juni 1995. Da wir kein Geld haben, können wir die Miete erst im nächsten Monat bezahlen. Wir beginnen all die notwendigen Schritte zu unternehmen: Besuche in den Büros der Gemeindeadministration, Erklärungen, auszufüllende Formulare, Anmeldungen und Arbeitssuche. Es ist eine schwierige Zeit. Unser rechtlicher Stand als Mönche vereinfacht die Sache ganz und gar nicht. Wir müssen uns sehr anstrengen, damit wir uns nicht erdrückt fühlen durch die verschiedenen Vorsprachen in den Büros.

Das Gesuch auf Gewährung von Arbeitslosenunterstützung wird zurückgewiesen auf Grund unseres letzten Status als Mönche. Wir beschließen, uns direkt nach Bern zu wenden. Nachdem die Sache von Funktionären untersucht worden ist, erhalten wir Nachricht aus dem Bundeshaus, wonach wir kein Anrecht auf Arbeitslosenunterstützung haben. Man könne uns keiner sozialen Kategorie zuweisen, nicht einmal den Gefängnisinsassen. Es bleibt uns nichts anderes übrig, als den Entscheid anzunehmen. Wir vernehmen, dass die Gefangenen, die Flüchtlinge und die Ausländer viel besser gestellt sind als wir.

Wir kommen nicht darum herum zu denken, dass doch eigentlich unsere soziale Arbeit in der Vergangenheit für die Allgemeinheit sehr nützlich gewesen ist. Während Jahrzehnten haben wir Versicherungen bezahlt, Arbeitslosenversicherungs- und andere Beiträge geleistet, und heute haben wir als Schweizer keine Rechte und keine Hilfe. Zehn Jahre lang haben wir uns in der Kirchgemeinde einer großen Stadt eingesetzt und haben uns Tag für Tag um die Ärmsten gekümmert, und heute, wo wir es selber dringend nötig hätten, werden wir nicht anerkannt. Glücklicherweise bedauern wir aber nicht, das getan zu haben, wozu wir uns berufen fühlten; aber wir stellen fest, dass die Schweiz nicht in allen Fällen von Fürsorge geprägt ist. Es ist, wie wenn wir nicht mehr existieren würden. Wir brauchen viel Energie, um dieser Realität standzuhalten. Wir müssen trotzdem aufrecht bleiben.

Wir vertrauen ganz auf Gott. Er hat uns wieder zusammengeführt und uns gestützt bis zum heutigen Tag. Wir finden bald etwas Arbeit. Unsere Lebensbedingungen zwingen uns, das anzunehmen, was sich uns bietet und zu den vorgeschlagenen Bedingungen. Roland übernimmt eine Vollzeitstelle bei einem Bauern der Region. Dieser Mann gehört zur kleinen Gruppe von Christen, die uns empfangen hat. Er bekommt das Mittagessen und eine minimale Bezahlung. Diese Anstellung dauert drei Monate. Nachher wird er in einer Fabrik als Hilfshauswart mit einer Drittelstelle angestellt. Ein weiteres Drittel arbeitet er bei einem Käser. Ich selbst finde eine Beschäftigung von einigen Stunden in einer Molkerei und bin verantwortlich für bestimmte Lieferungen von Tomme[26]. Diese Arbeiten sind sehr wichtig für uns beide, für unsere Wiedereingliederung und unsere Selbstachtung.

Im Kloster fehlte die Arbeit nicht, ganz und gar nicht, aber wir hatten kein Recht auf irgendeine persönliche Initiative. Wir haben nur ausgeführt, und unter welchen Bedingungen! Bei all unseren Taten wurden wir ausspioniert, kritisiert, verurteilt. In jedem Kloster gibt es ein Mitglied, das wir als den »Kobold« des Vorstehers bezeichnen wollen. Dieser Kobold hat die Aufgabe, täglich alle Mitglieder der Gemeinschaft zu bespitzeln, und er legt die Rapporte über ihre Tätigkeiten und Handlungen, aber auch seinen eigenen Kommentar, in den Briefkasten des Vorstehers. Das, was Roland erlebte in seinem Kloster als Folge der Handlungen des Kobolds, ist nicht traurig. Auch mir ging es seinetwegen nicht schlechter. Trotzdem versuchte ich verschiedentlich mit meiner Oberin darüber zu sprechen. Ich war so betrübt über das Unrecht, das dieser Kobold hervorrufen konnte, dass ich es als normal empfand zu intervenieren. Was ich nicht wusste, ist, dass ein Vorsteher einen solchen Kobold braucht, und mein Einschreiten war vergeblich.

Das Schweigen und das Verbot zu reden und zu lärmen, der absolute Gehorsam, das Verbot der Eigeninitiative stoßen den Menschen in eine negative Einkapselung. Im Laufe unseres Lebens im Kloster, wenn wir die Mitglieder unserer Gemeinschaften beobachteten, haben wir Verhaltensstörungen festgestellt, die auf diese Lebensumstände zurückzuführen sind. Schnell haben wir beide beschlossen, diesem Erscheinungsmerkmal Beachtung zu schenken. Gemäß der Regel und der Gehorsamsverpflichtung mussten wir die Augen immer gesenkt halten und durften uns nicht für das interessieren, was um uns her vorging. Persönlich bin ich aber wachsam geblieben, um alles beobachten zu können, und bedaure das nicht. Jedoch ist es wirklich traurig, wie man unter diesen Bedingungen eine rasche Entwicklung der Abweichungen aller Art feststellen kann, welche die Persönlichkeit des Menschen zerstören. In meiner Jugend hat uns ein Psychiatrieprofessor gesagt: »Meine häufigsten Patienten sind Fromme aus einem Kloster.« Heute gebe ich zu, dass er wahr gesprochen hat. Im Schoß eines Klosters wird die Schranke des Gleichgewichts sehr schnell überschritten. Im Laufe unserer zehn Klosterjahre haben wir eine große Zahl von aus dem seelischen Gleichgewicht geratenen Personen gesehen. Die traurigste Einsicht dabei ist die Tatsache, dass gewisse seelische Gleichgewichtsstörungen für einige ein Element des Überlebens sind. Man kann diesen provozierten oder sogar gewünschten Nöten nicht gleichgültig gegenüberstehen; gewünscht, weil der Mensch dadurch zu keiner persönlichen Reaktion mehr fähig ist. Er ist gleichsam in einer Gussform und funktioniert nur noch. Seine Fügsamkeit ist Unterwürfigkeit, um zu überleben; aber das wird verschleiert. In Fällen von Unterwürfigkeit habe ich Blicke eingefangen, die ich nie im Leben vergessen werde. Ich kann die Unglücklichen, die ich im Kloster hinter mir gelassen habe, nicht vergessen. Im Laufe meiner Unterredungen mit der Vorsteherin, wenn wir aus diesem oder jenem Grund von einer Schwester sprechen mussten, sprach sie stets den unveränderten Satz aus: »Oh, sie ist krank, sie ist verrückt, aber sie arbeitet viel, und das allein zählt.« Wie oft habe ich diese Worte gehört. Sie verursachten in meinem Herzen einen Geschmack des Leidens. Ich ging deshalb im Gespräch manchmal etwas weiter. Unnütz. Die Antwort auf diese kalte Betrachtung ist, dass es im Schoß eines Klosters nicht schwer ist, in einer Form geistiger Umnachtung zu versinken. Wie kann eine Vorsteherin dies mit Leichtigkeit, Gleichgültigkeit und menschlicher Überheblichkeit zulassen? Man kommt zu einem erschreckenden Schluss: Das Entscheidende für diese Vorsteherin ist, darüber zu wachen, dass jede sich regelgemäß der vorgegebenen Form anpasst und ein unterwürfiges, Gewinn bringendes Mitglied der Gemeinschaft wird.

Die psychischen Auswirkungen dieses Klosterlebens sind tragisch. Wer austritt, braucht viel Zeit, um wieder gesunde Orientierungslinien zu finden. Nur der Glaube an einen starken und lebendigen Gott kann uns darin wirklich helfen. Das erfahren wir Tag für Tag. Wir haben diese Orte verlassen aus Gehorsam gegenüber dem Herrn, der uns aus der Finsternis herausgerissen hat, um uns in sein Licht zu führen. Wir müssen großen Mut beweisen, um uns wieder in eine Gesellschaft einzugliedern, in der die wahren Werte nicht mehr vorherrschend sind, um uns einer Welt zu stellen, die sich stark verändert hat, seitdem wir sie verlassen hatten. Wir bestätigen allerdings, dass dies möglich ist, und dass Gott diejenigen nicht verlässt, die ihn mit aufrichtigem Herzen suchen. In ihm ist unsere Freude, und sie bleibt trotz aller unvermeidlichen täglichen Schwierigkeiten.

Nun sind wir also in diesem wundervollen Tal, um wieder zu lernen, normal zu leben. Roland hat die schönen Künste studiert und hat eine Ausbildung im Werbegeschäft. Ich muss ihn bewundern, wenn er sich jeden Tag treu an seine unscheinbare Arbeit begibt.

Ich respektiere seinen Mut und hoffe im Geheimen, dass er bald eine Arbeit in seinem Beruf findet. Persönlich werde ich dem Ehepaar, das mich in der Molkerei angestellt hat, stets dankbar sein. Der Anfang war schwer, weil ich mich nicht traute, selbst aktiv zu werden. Eine Begebenheit hat mich dann gezwungen, mich aus dieser inneren Lähmung zu befreien. Es war im Herbst anlässlich der Umstellung von der Sommerzeit auf die Winterzeit. Die Uhren des Geschäfts waren noch nicht umgestellt. Ich konnte Uhren, die nicht oder schlecht funktionierten, nie ausstehen. Eines Tages habe ich die Besitzerin darauf hingewiesen, die mir unmittelbar darauf geantwortet hat: »Worauf warten Sie denn, um sie umzustellen?« Diese Bemerkung war wie ein elektrischer Stromstoß in meinem Gehirn, und seither entwickle ich in der Arbeit wieder eine gewisse Eigeninitiative.

Aber wir müssen auch vieles auf anderen Gebieten neu lernen. Wir wissen nicht mehr, wie man einen Scheck oder ein Formular ausfüllt etc. Ja, diese Zeit ist anstrengend und beschwerlich, aber wichtig. Während der ersten zwei Monate reagieren wir weder auf das Läuten des Telefons noch auf die Glocke an der Wohnungstür. Die Tatsache, einen Wohnungsschlüssel zu besitzen und wieder einen eigenen Briefkasten zu haben, war für uns von unschätzbarem Wert. Dass wir täglich den Briefkasten leeren konnten, hat uns beim inneren Wiederaufbau geholfen, obwohl anfänglich nur Reklame im Briefkasten steckte. Die ersten Schlüssel haben wir in den Händen immer wieder umgedreht, als wären es die wichtigsten Tresorschlüssel. Sie sind für uns auch heute noch ein Symbol der Freiheit, der Würde und eines neuen Lebens. Am Ende jeden Monats können wir uns dank unserer Arbeit einige Einkäufe leisten: immer zwei Teller, Tassen, Gläser, Besteck usw. Nach und nach können wir daran denken, uns angemessen einzurichten. Eines Tages werden wir gewahr, dass wir Egoisten sind: Wir kaufen alles immer nur für uns zwei. Wir müssen uns also umstellen und drei Löffel, drei Tassen und nicht nur zwei kaufen.

Wenn wir unsere Armut betrachten, entdecken wir, wie schwer es ist, etwas zu geben, und wir rufen uns die Jahre in Erinnerung, in denen wir berufen waren zu geben. Verantwortlich für ein Team, das zu diesem Zweck gebildet worden war, hatten wir auf dem Herzen, nur Schönes und Gutes zu geben. Das war auch ein Ziel für die Gruppe. Ja, wir realisieren, dass das Schenken keine natürliche Regung des Menschen ist. Gewisse Gaben können sehr verletzend sein.

Gleichzeitig realisieren wir mit Traurigkeit, dass die Mitglieder der Gruppe, die uns empfangen hat, etwas auszusetzen haben, wenn es uns gelingt, einen neuen Gegenstand für unseren Haushalt anzuschaffen. Es trifft uns, feststellen zu müssen, dass »Christen« sich nicht freuen können, wenn sie sehen, dass wir uns wieder aufrichten können. Eines Tages realisieren wir sogar, dass diese Gruppe uns das Existenzrecht abspricht. Warum hat sie uns denn empfangen? In unserer Situation ist die Verletzung doppelt schmerzhaft. Wir haben auch das Verlangen, das wenige, das wir haben, mit dieser Gruppe zu teilen, was aber gar nicht gern gesehen wird. Ihrer Ansicht nach gibt es für uns kein Recht zu teilen und zu geben. Das bedeutet, uns in unsere Armut zu drücken. Alle diese Erfahrungen lehren uns viel, aber wir bleiben aufrecht stehen.

Wir kennen erst wenige Personen und sind wegen unserer besonderen Situation in eine gewisse Abhängigkeit geraten. Wir haben das Verlangen, uns einzugliedern, und Gott trägt uns. Er wacht über uns und gibt uns die Kraft und das Rüstzeug für dieses neue Leben. Wir suchen eine Versammlung. Weil wir nur die erwähnte Gruppe kennen, besuchen wir ihre Zusammenkünfte, fühlen uns aber in ihren Gebetsstunden bald nicht mehr wohl, und die Bibelstunden lassen uns unbefriedigt. Wir merken, dass diese Leute uns manipulieren wollen, und wir beschließen, sie nicht mehr zu besuchen, denn ihr Empfang geschieht aus Eigennutz und nicht aus Liebe.

Wir sind für kurze Zeit isoliert. Aber als die Bewohner der Region merken, dass wir uns von dieser Gruppe distanziert haben, nähern sie sich uns. Wir können Beziehungen aufbauen mit vielen Leuten aus mehreren christlichen Gemeinschaften. Ihre Äußerungen bestätigen die Richtigkeit unserer Wahl, und wir danken dem Herrn, dass er über uns wacht. Wir sind einer abwegigen Verinnerlichung entronnen. Wir vernehmen, wie viele Verletzungen verschiedenen Menschen durch diese Gruppe im Namen des Evangeliums zugefügt worden sind. Einmal mehr erwies uns der Herr die Gnade der Unterscheidung. Er sei gelobt. Da wir aus dem Kloster kommen, brauchen wir vor allem Freundschaft und Liebe. Wir betteln um Liebe. Da wir beide kontaktfreudig sind, ist das Bedürfnis noch ausgeprägter. Wir erwarteten von der Gruppe etwas Liebe, und sie wollten uns brauchen, um ihr Wappen aufzupolieren, ihr Image zu vergolden.

Durch diese Erfahrung haben wir unglaubliche Wunden und Spaltungen im Namen Gottes innerhalb der christlichen Welt des Vallée de Joux entdeckt. Wir haben konstatiert, dass die Leute tief beunruhigt sind über die Verführungen aller Art und die Verblendung durch den Herrn dieser Welt. Wie viel Leid wird einander im Namen Gottes und des Evangeliums zugefügt. Der Irrtum, der Geist der Überwachung, der Einflussnahme finden sich nicht nur in den katholischen Klöstern. Was für eine Lektion für uns zwei. Im Kloster sagte ich jeden Tag, dass Christus verspottet wird, und ich litt darunter. Außerhalb des Klosters, in dieser (christlichen) Welt, die ich gefunden habe, wird Christus durch verschiedene Praktiken und persönliche Interpretationen von Bibeltexten ebenfalls verspottet.

Wir fahren fort, täglich am Wiederaufbau unserer Persönlichkeit zu arbeiten, und erfahren, wie gut es der Herr mit uns meint. Wir wissen, dass es viel Zeit braucht, aber wir wollen nichts überstürzen. Jeder Teil wird wieder den richtigen Platz einnehmen. Jede Schwäche wird die Pflege erhalten, die sie braucht. Man muss sich durch den Herrn gemäß seinem Plan regenerieren lassen.

In früheren Zeiten hatten wir viele katholische Freunde. Durch unsere Wahl, die katholische Institution zu verlassen, werden wir von den Katholiken als Sektierer erklärt, und sie drehen uns den Rücken zu. Es ist eine Tatsache, dass wir keine Freunde mehr haben. Wir müssen also neue Freundschaften aufbauen. Wir haben eine schmerzhafte Etappe durchzustehen und lernen, diese Art Einsamkeit zu akzeptieren. An einem Ort zu wohnen, der so schön und einladend ist, und dabei abgelehnt und ausgegrenzt zu werden von einigen Leuten, die seit jeher dort wohnen, deren Vorfahren dort lebten und die dort verwurzelt sind, ist sehr hart. Für Menschen, denen die Liebe und Freundschaft stets äußerst wichtig war, ist das eine an Lehren reiche Prüfung.

Wie steht es bei uns mit der Liebe? Wo stehen wir in Bezug auf 5. Mose 30: »*Ich habe euch Leben und Tod, Segen und Fluch vorgelegt; so erwähle nun das Leben.*« Werden diese Worte noch gelesen? Werden sie noch gehört? Mit welchem Recht nennen wir uns Christen, wenn sie nicht mehr widerhallen im Grund unseres Gewissens?

Langsam bildet sich ein Kreis von Bekannten um uns herum. Wir lernen erneut über Freundschaften nachzudenken. Es ist eine Gabe, die wir hoch achten und der wir eine äußerst große Bedeutung beimessen sollen. Wir benötigen sie so dringend, dass wir, um sie zu empfangen, einige Fehler machten: Wir vertrauen allzu schnell. Tag für Tag, Monat für Monat müssen wir wieder neu dazulernen. Wir bedauern diese Erfahrungen aber nicht, denn sie haben uns eine negative Facette der Menschheit gezeigt, die für viel Leid verantwortlich ist und dem Herrn sicher nicht gefällt: Der mangelnde Respekt vor dem Vertrauen des anderen.

Täglich entdecken wir, wie viel ständige und ausdauernde Sorgfalt nötig ist für den Wiederaufbau der Persönlichkeit und wie viel die Einstellung derer ausmacht, die uns umgeben, sei es helfend oder zerstörend. Wir müssen einen Mut an den Tag legen, der das Normale übersteigt, und müssen uns ständig in die Arme Gottes legen, um über alles hinwegzukommen. Gott hilft uns. Wir setzen all unser Vertrauen auf ihn. Diese innere Tatkraft, welche uns antreibt, kommt von ihm. Er erneuert uns jeden Augenblick. Diese ständige Gegenwart Gottes in unserem Leben erlaubt uns, positiv zu reagieren auf die Reaktionen dieser kleinen Gruppe, die es uns übel genommen hat, dass wir nicht ihre Anhänger geworden sind. Tägliche Tatsachen zeigen uns die menschlichen Dürftigkeiten, die von den Pilgern erfahren werden, die wir sind. Der Herr bietet uns diese Zeit des irdischen Lebens an, und wir haben große Schwierigkeiten, so zu leben, dass wir Früchte tragen zu seiner Ehre! Jeder Mensch erbt das Gewissen für das Gute und das Böse. Warum herrscht das Bewusstsein des Bösen meist vor? Gott in seinem unendlichen Erbarmen überlässt einem jeden die Entscheidung selbst, und wir können oder wollen den Entscheid nicht in Würde treffen. Warum das? *»Du sollst deinen Nächsten lieben wie dich selbst.« »Liebet einander ...«* Diese biblischen Gebote sind Anweisungen, die jedermann täglich in die Tat umsetzen sollte. Warum sind gewisse Menschen versucht, ihre Aggressionen auf Kosten von anderen auszuleben und sich dabei noch auf das Evangelium zu stützen?

Niemand, der es nicht selbst erlebt hat, kann verstehen, was das heißt, bei Null anzufangen und seine Persönlichkeit wieder aufbauen zu müssen. Ohne den Glauben, diesen soliden, starken Glauben an Gott, ist eine solche Schwerstarbeit unmöglich. Alle praktischen Tätigkeiten des Lebens müssen von neuem erlernt werden, und alle sind von eminenter Wichtigkeit. Wir verstehen ohne weiteres alle, die Angst haben, ihr Kloster zu verlassen, auch wenn sie es noch so sehr wünschen. Wir verstehen auch alle, die diesen Schritt tun, aber nachher Psychologen und Psychiater aufsuchen müssen, um sich wieder aufzubauen. So viele Teile sind verletzt worden. Wir dürfen aber bezeugen, dass das Wesentliche des Lebens nicht zerstört ist. Wir haben das Vorrecht, zu zweit zu sein, viel miteinander sprechen zu können, anspruchsvoll zu sein, Gott zu bitten und an seine Gnade zu glauben. Wir besitzen auch einen inneren Tatendrang, der uns anspornt, Lebensfreude zu entwickeln. So richten wir uns trotz unserer Schwachheiten wieder auf. Wenn wir die zweimal zwanzig Jahre zurückblicken, die wir der katholischen Institution gewidmet haben, aus der wir materiell verarmt und geschwächt ausgetreten sind, so empfinden wir weder Bitterkeit noch Groll, denn wir sind bereichert worden durch wirkliche Werte Gottes und seiner Offenbarung.

Wir realisieren, dass der Herr weiter mit uns spricht, trotz der Prüfung, die wir durchmachen mussten, als wir nach unserem Austritt aus dem Kloster aus der Gruppe im Vallée de Joux ausgeschlossen wurden. Er sagt uns, dass er uns aufrecht halten will, ohne Krücken. Und selbst wenn wir als uns Ehepaar gegenseitig stützen können, so sollen wir uns nicht durch den anderen tragen lassen. Mit Gott ist jede Prüfung eine Lehre und wird zur Bereicherung. Wir gehorchen ihm gern. Wir studieren zusammen sein Wort und gehen auf dem Weg seines Willens vorwärts. Die Liebe, die uns vereint, ist groß. Ihre Dimension dehnt sich aus und wir verstehen das sehr schöne Kapitel 12 des Römerbriefes noch besser.

Wir sind ins Kloster eingetreten, um Gott zu dienen und nur ihm allein zu gehören. Wir haben dort eine Abkehr von seinem Wort und Abweichungen jeder Art vorgefunden. Durch das Verlassen des Klosters gehorchen wir Gott, und jetzt sagt er uns selbst, was er innerhalb dieser Welt von uns verlangt. Wir hatten das Kloster gewählt, um zu beten, aber nachdem wir es verlassen haben, lehrt uns der Herr selbst zu beten. Wir wissen jetzt, dass wir von ihm allein und nicht mehr von einer Religion oder Überlieferung abhängig sind, sondern von einem Gott der Liebe, der Freude, des Friedens und der Gerechtigkeit.

Seit unserem Austritt aus dem Kloster besuchen wir Versammlungen in Frankreich, Deutschland, Italien und der Schweiz. Überall hungern und dürsten die Menschen nach Gott. Aber viele suchen ihn über verschiedene Praktiken. Gott lässt sich finden, denn er sucht uns zuerst. Er verlangt von uns keine Werke und kein besonderes Auftreten. Er will nur, dass wir in allem Gehorsam und unter vollständiger Hingabe an seinen Willen mit ihm zusammenarbeiten. Lasst uns seine in der Bibel niedergeschriebenen Gebote halten!

Alles möge sich in Liebe erfüllen. Die Liebe aber ist nur möglich durch die Vergebung. Es ist erstaunlich zu sehen, wie der Mensch einverstanden ist, merkwürdige und sogar erniedrigende Praktiken durchzuführen, sich aber zurückzieht, wenn Vergebung am Platz wäre. Wenn wir auf die Gebote Gottes nicht eingehen, stellen wir uns ihm entgegen. Sind wir uns dessen bewusst?

Es ist ermutigend, den Willen Gottes in unserem Leben wahrzunehmen, aber es ist erschreckend, die menschlichen Verirrungen mit ansehen zu müssen, die im Namen dieses Gottes der Liebe begangen werden. Es ist schlimm, welche Leiden und Spaltungen daraus entstehen. Wenn man unseren Weg betrachtet, entdeckt man im Schoß der Verirrungen den Schutz Gottes. Wir haben es nicht gewusst, aber Gott hat über uns gewacht und hat nicht aufgehört, uns mit seiner Fürsorge zu umgeben. Eines Tages haben wir verstanden und diese zärtliche Liebe aufgenommen.

Es ist ergreifend, den Plan Gottes im Leben eines Menschen zu erkennen. Wir stehen einem Wunder der Liebe gegenüber, und wir können uns nur verneigen vor der wunderbaren Herrschaft unseres Herrn.

Ja, Gott ist voller Erbarmen. In Dankbarkeit gegenüber dem Herrn, unserem Meister, lesen wir die Worte in 2. Samuel 22, 17-20: »*Er streckte seine Hand aus von der Höhe und ergriff mich, er zog mich aus großen Wassern; er rettete mich von meinem mächtigen Feind, von meinen Hassern, die mir zu stark waren. Sie hatten mich überfallen zur Zeit meines Unglücks; aber der HERR wurde mir zur Stütze. Er führte mich auch heraus in die Weite, er befreite mich; denn er hatte Wohlgefallen an mir.«*

Roland und Hervée, nach dem Austritt aus dem Kloster und der katholischen Institution. Taufe durch Untertauchen im Lac de Joux.

Die Familie

Sofort nach unserem Austritt aus dem Kloster ist unsere erste Sorge, unsere Kinder zu benachrichtigen. Sobald wir wieder in der Schweiz sein werden, planen wir gemeinsam ein Treffen. Im April 1995 erfahren wir von der Geburt unserer Enkelin. Wenn wir eine Wohnung gefunden haben, werden wir sie besuchen.

Es ist offensichtlich, dass wir gleichsam auf Eiern gehen. Weil wir uns bewusst sind, dass es nötig ist, nach all diesen Jahren der mehr oder weniger absoluten Stille die Beziehung neu aufzubauen. Und das wird Zeit brauchen.

Wir sind glücklich, als wir beim Besuch ein schönes Heim vorfinden. Drei Enkelkinder, die sich im Schoß einer wahren Familie entwickeln.

Wir treffen uns weiter von Zeit zu Zeit und bauen die Beziehungen ganz ruhig wieder auf. Langsam bahnt sich der Weg, dank der Geduld und des Vertrauens. Sie erinnern uns daran, dass sie uns die Zustimmung zum Weggang gegeben hatten, ohne sich der wichtigen Konsequenzen bewusst zu sein. Sie haben darunter gelitten. Sie hatten in Anbetracht der großen Distanzen den Großvater einige Male und die Großmutter einmal besucht. Der Briefwechsel war aufgrund der Klosterregel äußerst eingeschränkt.

Heute ist die Beziehung wieder hergestellt. Wir sind unseren Kindern und Gott dankbar. Er hat uns gehalten während der langen und anstrengenden Arbeit und hat uns geholfen, würdig mit den Leiden umzugehen, die aus der Trennung entstanden waren. Wir befehlen diesen Haushalt täglich der Fürsorge unseres Herrn an. Nur Gott kann diese wie in einem Waisenhaus verbrachte lange Zeit wieder neu ausfüllen. Er kennt das Innere unseres Wesens. Er weiß, dass die Liebe da ist und dass wir ihm die Zukunft überlassen.

Vallée de Joux,
Land der Aufnahme

Les Bioux, wo wir seit dem 7. Juni 1995 wohnen, ist ein Dorf im Kanton Waadt, im Vallée de Joux.

Bioux ist ein Wort, das voller Melodien und Erwartungen steckt, das den Menschen einlädt, über den Schöpfer und die Schöpfung nachzudenken.

Das Vallée de Joux ist eine wunderbare Landschaft mit mehreren Dörfern, deren Namen tief in den Herzen wegen ihres prophetischen Klangs einen Widerhall auslösen: »Le Pont« (die Brücke), »Le Sentier« (der Pfad), »Le Lieu« (der Ort), »L'Orient« (das Morgenland), etc.

Das Vallée de Joux hat alles, um den Menschen zu ergreifen und um zu gefallen: See, Wald, Weideland, Berge. Zwar ist der Berg »klein« im Vergleich zu den Walliser Alpen, aber er ist von »menschlicher« Größe und seine Flanken sind weder agressiv noch herausfordernd.

Das Tal hat auch eine nicht uninteressante geschichtliche Seite. Um das Jahr 600 n. Chr. finden wir eine erste katholische Präsenz im Dorf Le Lieu, nämlich Pontius. Pontius ist Einsiedler und gründet eine Zelle in Le Lieu. Die Mönche werden »die braunen Brüder« genannt, wahrscheinlich wegen ihrer langen braunen Wollkleider.

Vom 13. bis zum 15. Jahrhundert ist das Tal wie viele andere Gebiete und Länder in herrschaftlichem und religiösem Besitz. Später errichtet man am Ort der Einsiedelei von Pontius ein Männerkloster. Es bestand noch 1155 und diente als Zufluchtsort für die Prémontrés[27], die aus Abbaye[28] fliehen mussten. Sie überquerten den See mit ihrem Schiff und nahmen die Glocke ihres Wohnsitzes in Abbaye mit. Auf halbem Weg zwang sie ein Zwischenfall, das Gewicht auf dem Schiff zu verringern. Sie ließen deshalb die Glocke ins Wasser fallen, wo sie sich höchstwahrscheinlich immer noch befindet, tief im Schlamm.

Zu jener Zeit richtet sich Norbert von Prémontré, der Gründer des Ordens von Prémontré, im Vallée de Joux ein. Norbert kommt 1080 in Xanten im Schoß einer reichen Lehensfamilie zur Welt. Als er neun Jahre alt ist, gibt ihn die Familie als Laienbruder ins Kapitel der Stiftskirche von St. Victor, der wichtigsten gotischen Kirche des Rheinlands. Überall wird er geschätzt wegen seiner Wortgewandtheit, seiner theologischen Bildung und seiner Kenntnis der Heiligen Schrift. Im Jahr 1110 nimmt er in Rom an den gespannten Verhandlungen teil zwischen dem deutschen Kaiser Heinrich V. und dem Papst Pascal II. den »Einsetzungsstreit« betreffend; ein Streitpunkt, bei dem die Meinungen des Papstes und des Heiligen Römischen Reichs Deutscher Nation über das Verleihungsrecht eines Titels weit auseinander klafften. Dieses Ereignis trifft Norbert so tief, dass er seine Stellung im Dienst der Reichskirche in Frage stellt. Im Alter von 35 Jahren, während einer Reise an einem gewittrigen Tag, wird Norbert von Gott angehalten. Seine Umkehr treibt ihn dazu, sich bei einem Benediktinermönch in das geistliche Leben zu vertiefen, aber die Erfahrung überzeugt ihn nicht. Er lebt gemäß der Regel des Heiligen Augustin zwei Jahre lang in der Abtei von Rolduc, besucht Einsiedler und predigt ihnen. Im Schoß der vatikanisch-römischen Kirche macht sich Norbert viele Feinde. Er hofft vergebens, eine Reform in diese Kreise bringen zu können. 1119 verkauft er alle seine Güter und verzichtet auf seine religiösen Titel. 1120 begegnet er dem Papst Callixtus II., der ihn Bartholomäus, dem Bischof von Laon in Frankreich, anvertraut, im Bestreben, ihm einen kanonischen Status zu geben. Nachdem er ihm zugehört hatte, gibt dieser Bischof Norbert das sumpfige Tal von Prémontré (zwischen Laon und Soissons), damit er sich dort einrichte. Er hat den geheimen Wunsch, dass Norbert dort eine Gemeinschaft gründen möge. Norbert nimmt an. Männer und Frauen schließen sich ihm an, und Norbert gibt ihnen die Regel des heiligen Augustin. Von 1124 an vervielfachen sich die Gründungen. Während einer seiner Reisen, als Norbert das Vallée de Joux durchquert, wird er ergriffen von der Schönheit der Region und entscheidet über eine Gründung im Dorf L'Abbaye. Der Papst erteilt ihm die Erlaubnis, sich in der Schweiz niederzulassen. 1126 wird der Orden der Prémontrés durch Rom anerkannt. 1134 verlassen die Frauen unter dem Einfluss der zisterziensischen Reform den Orden, um sich den zisterziensischen Nonnen anzuschließen.

Die Gegenwart der Prémontré-Domherren in L'Abbaye war eine Kraft für die Adligen der Gegend. Zu jener Zeit war das ganze Gebiet unter adliger oder religiöser Herrschaft. Die Domherren besaßen eine weit reichende soziale Macht. Sie forderten Gebühren für den Durchgang der Bauern zu gewissen Anwesen, für das Fischen im Lac de Joux, für die Seeüberquerung, für das Wasser, das die Bauern brauchten. Die Geschichte lehrt uns, dass diese Chorherren leibliche Nachkommen im Tal hinterlassen haben. Unter dieser Herrschaft war das Leben der Einheimischen nicht einfach. Ein Schritt nach rechts, und man erhielt einen Schwertstreich. Einen Schritt nach links, und man erhielt einen Kolbenhieb. Diese Unterdrückung hat den Charakter des Einheimischen geschmiedet. Sie hat ihn gezwungen, sich aufzurichten, um sich nicht ganz zunichte machen zu lassen.

Nach diesem geschichtlichen Exkurs wollen wir wieder zu unserem schönen Tal zurückkehren, in das man einfach verliebt sein muss. Es ist ein Tal mit Wäldern und feinen Schatten, die sich im See spiegeln, eine Landschaft, die sich dem Licht öffnet und die dann dank ihrer privilegierten Lage von Licht überflutet wird. Es ist eine Region, in der die Jahreszeiten durch die Landwirte treu und arbeitsreich unterstrichen werden. Was ist es für ein Vorrecht, wenn man die wirklichen Werte der Jahreszeiten so hautnah erleben darf.

Im Frühling, wenn das Tal aus seiner relativ ausgeprägten winterlichen Stille erwacht, spürt man die diskrete, aber kräftige Ergriffenheit. Der Lärm der Werkzeuge, die aus den Scheunen und Lagerhallen hervorgebracht werden, die Erde mit ihren Gerüchen, die für die Aussaat vorbereitet wird, der See mit den breiten verschwommenen Streifen, die in einem immer wieder sich verändernden Blau erscheinen, die Bewegung der Wellen – alles fasziniert uns. Der Frühling im Tal strömt einen ihm eigenen Wohlgeruch aus. Es ist die Zeit des Erwachens, reich an Entdeckungen und neuen Eindrücken, auch wenn sich die Handlungen, der Lärm und die Gerüche wiederholen. Welch einzigartige Freude ist es, das Zittern der Erde und das Aufwallen der ganzen Natur zu erleben. Man würde gern wieder Kind sein, auf dem flachen Boden liegen und sein Ohr auf den Boden drücken, um zu horchen und dabei den geheimen Lärm der Erdbewegungen zu hören, dieses besondere Geräusch, das uns die Verheißungen der zukünftigen Ernte zuflüstert.

Da wir noch neu sind in diesem Tal, genießen wir jeden kleinsten Augenblick und hoffen, dass wir uns nicht daran gewöhnen, damit wir jedes Jahr wieder die gleiche Entzückung verspüren, die unser ganzes Wesen erneuert. Wir realisieren, dass ein unruhiges, heute übliches Leben uns entfernen könnte von diesen wahren Werten, wenn wir nicht sehr wachsam sind.

Es kommt der Alpaufzug, ein außerordentliches, unvergessliches Schauspiel mit einer Farbenpracht aus Papierblumen, mit dem Befehlsruf der Männer an ihre Tiere, mit den Grüßen an die Dorfbewohner, mit den Kuhglocken und den Trachten; das alles ist von außerordentlicher Schönheit.

Die Zusammenkünfte am Abend in den Alphütten sind Momente unvergesslichen Reichtums. Diese Abende haben einen ganz besonderen Reiz. Die Leute treffen sich ganz einfach, und während einiger Stunden stellt sich das Gefühl ein, man lebe wie zur Zeit unserer Vorfahren.

Der Sommer kommt mit seinem Gefolge von Farben, Gerüchen, unermüdlicher Arbeit und Versprechen auf eine gute Ernte. Im Wald und auf den Alpweiden verbreitet die Natur im Sommer und im Herbst ihre Fülle von Wohlgerüchen. Das Heuen und Emden[29] erfordert Solidarität unter den Menschen, besonders wenn sich Gewitter und Unwetter ankündigen. So entstehen Beziehungen und ein Bezeugen gegenseitiger Liebe. Zu dieser Zeit empfindet man Hochachtung vor der Natur. Sogar in einem Uhrmachergebiet lebt man zu dieser Zeit nicht nach dem Rhythmus der Uhr, sondern nach dem Rhythmus der Natur.

Der Herbst überhäuft uns mit seinen warmen Farben und formt eine ockergelbe und purpurne Sinfonie, die bis ins Violette reicht. Jeder Tag erlaubt die Betrachtung einer unermesslichen Schönheit, die man sich behutsam ins Gedächtnis einprägt. Die Arbeiten gehen rasch voran, damit vor dem Winter alles in Ordnung gebracht werden kann. Bald kehren die Tiere zurück von der Alp. Es sind Momente, in denen man Aufgaben und Mahlzeiten zusammen teilt, und man in aller Einfachheit zusammen lebt. Der Mensch fühlt den Winter kommen und macht sich bereit angesichts der Zeichen, die ihn ankündigen. Der Winter ist eine Ruhezeit, die für Mensch und Natur notwendig ist.

Das winterliche Schauspiel im Tal ist großartig. Das Leben geht weiter, arbeitsreich, aber leise und gedämpft. Es ist eine Freude, den dahingleitenden Langläufern zuzuschauen. Ihre Bewegungen sind ausladend, lang gezogen und rhythmisch. Man hat manchmal das Gefühl, ein Ballett auf Schnee mitzuerleben.

In diesem Tal herrschen besondere Lichtverhältnisse, die allem einen gewissen Schwung verleihen. Auf dieser Höhe und in diesem Raum entfaltet sich eine ruhige Kraft über der Hügellandschaft. Sie ist Kraft und Zartheit gleichzeitig mit ihren melodiösen und harmonischen Rhythmen. Der empfindsame Mensch spürt eine tiefe und wirksame Ergriffenheit. In diesem Licht ist jeder Morgen ein Wiederaufschwung, und man fühlt sich beim Erwachen vielleicht mehr als andernorts gedrängt, den Schöpfer zu loben.

Das Vallée de Joux ist auch ein guter Nährboden für Künstler, Handwerker und Christen. Es gibt da Künstler auf allen Gebieten: Malerei, Zeichnungen, Literatur, Dichtkunst, Musik, Erfindung von Maschinen, von denen einige einen großen didaktischen Wert haben. Alle Schüler aus dem Kanton Waadt und von anderswo sollten Gelegenheit haben, sie anzusehen. Wie kommt es dazu, dass es im Vallée de Joux so viele Künstler und geniale Menschen gibt? Folgendes mag dazu beitragen: Die geographische Lage, die Entfernung von den Ballungszentren, die jederzeit schöne Natur, die Ausgeglichenheit der Ortschaften, ein einfaches Leben, die Erbschaft einer von den Vorfahren überlieferten Kultur mit gesicherten Werten, die langen Winterabende, während denen die Hände auch im Gespräch ruhige Arbeiten ohne bestimmte Verpflichtung ausführen.

Das Vallée de Joux ist auch ein guter Nährboden für Christen, wie wir schon angedeutet haben. Der Fremde, der in diese Gegend kommt, ist berührt von der Realität eines tief verwurzelten geistlichen Lebens. Was für eine Gabe Gottes, welch bevorzugte Erde! Mit geschärftem Blick erkennt er allerdings die Menge und die Vielfalt der christlichen Gruppierungen, was unvermeidlicherweise auch zu Abgrenzungen, Ausschlüssen, Verwundungen und Abspaltungen im Namen Gottes führt. Dies ist leider überall so in der menschlichen Gesellschaft, in der wir uns befinden.

Schlussfolgerung
Einige Überlegungen

Nach etwas mehr als fünf Jahren des neuen Lebens dürfen wir weitersagen, dass Gott sich finden lässt und dass seine Zeit nicht identisch ist mit unserer Zeit.

Nach diesen langen Jahren des Herumirrens, einer Art »Exodus«, finden wir uns heute wieder dank eines aktiven und belebenden Glaubens mit innerem Glück und einer anspruchsvollen, aber bereichernden Freiheit des Seins.

Nachdem wir die Finsternis einer Religion und die Finsternis der Überlieferung erlebt haben, genießen wir heute die Gnade der Heilsgewissheit, die Gnade der wertvollsten Schöpfung, nämlich des aufrecht stehenden, freien und völlig Gott hingegebenen Menschen.

Im Laufe der Jahre des neuen Lebens, in denen wir unterwegs die Gelegenheit hatten, Zeugnis abzulegen und Versammlungen verschiedener Richtungen kennen zu lernen, lehrt uns Gott, nicht einer Sache zu dienen, sondern seine treuen Diener zu sein.

Wir sehen endlich deutlich den Graben zwischen der Heiligen Schrift und der Überlieferung, den Graben zwischen dem Glauben und der Religion. Diese Gräben sind die Quelle der Verblendung und hindern den Menschen, die Verheißungen Gottes aufzunehmen.

Daten

1932 Geburt von Hervée im Wallis (Schweiz)
1935 Geburt von Roland in Lausanne, Kanton Waadt (Schweiz)
1959 Heirat
1960 Geburt des Kindes
1972 Bekehrung von Roland
1975 Engagement in der Pfarrgemeinde von Lausanne
1985 Engagement im Kloster
1995 Austritt aus dem Kloster

Das Klosterleben

Dieses Kapitel gibt einen kurzen Abriss über das Leben im Kloster. Zwar würde das Thema für sich allein schon ein eigenes Buch verdienen. Weiter verlangt diese Arbeit einen umfassenden Einsatz. Sie wäre ohne Zweifel sehr interessant, schon deshalb, weil die Christen die großen Orden und die religiösen Kongregationen, ihre Entwicklung im Laufe der Jahrhunderte und ihren Platz in der Kirche kaum mehr kennen.

Das religiöse Leben ist nicht nur ein Erscheinungsmerkmal des Christentums. Das Mönchstum als Ausdruck des mystischen Verlangens nach der Begegnung mit Gott war auch im Hinduismus und Buddhismus verbreitet. Kurz vor Christus gab es schon solche Gemeinschaften, die von der Welt zurückgezogen lebten.

Das christliche Mönchstum beginnt am Ende des dritten Jahrhunderts in Ägypten. Die Anfänge des westlichen Mönchstums werden auf 361 n. Chr. datiert. Das Mönchstum hat sowohl stolze Perioden der Pracht als auch des traurigen Niedergangs erlebt. Manchmal war es sogar eine treibende Kraft des Christentums.

Es gibt eine Menge verschiedener Orden und deshalb auch verschiedener Klosterregeln und -satzungen. Zwar erlaubt uns die Geschichte festzustellen, dass die erste Regel diejenige des göttlichen Meisters selbst war und dass alle Ordensgründer sie als Basismodell benutzt haben, um ihre eigene Regel aufzuschreiben. So auch die benediktinische Regel. Am vierten Konzil von Latran (1215-1216) wurde per Dekret festgelegt, dass künftig keine neue Regel mehr anerkannt werden sollte. So übernehmen fortan die Klostergründer eine bestehende Regel und ändern die Vorschriften mit der Zustimmung Roms leicht ab.

Wir sprechen in erster Linie von der Benediktinerregel, da wir beide darunter gelebt haben. Diese Regel ist zusammengesetzt aus 73 Kapiteln. Jedes dieser Kapitel enthält ein oder mehrere Gebote. Jeden Morgen wird ein Regelteil gelesen und kommentiert. Die Grundprinzipien der Regel und des Klosterlebens sind Gehorsam, Armut und Reinheit. Diese drei Gelübde sind die Basis des Mönchslebens. Es gibt dazu auch noch das Kapitel der Demut, das für sich allein zwölf Stufen aufweist. Bei den Benediktinern, den Zisterziensern und den Trappisten[30] wird ein viertes Gelübde an die drei Hauptgelübde angefügt, dasjenige der Beständigkeit. Der Mönch verspricht, sein ganzes Leben lang in dem Kloster zu bleiben, in das er eingetreten ist. Die Kartäusermönche müssen ein weiteres Versprechen halten. Wenn sie eines Tages ihren Orden verlassen, dürfen sie nicht in die Welt zurückkehren. Sie müssen in ein anderes Kloster eintreten oder einem andern Orden beitreten.

Die Benediktinerregel errichtet eine sich selbst genügende lokale Organisation. So bilden die Abteien autonome Gebilde, ohne weltlichen Gesetzen unterstellt zu sein. Jedes Kloster überlegt, wie es seinen Bedürfnissen nachkommen kann, je nach dem Ort, wo es liegt. Wir finden deshalb Mönche und Nonnen, die Käse, Schokolade, Konfitüren, Likör, Wein oder kleine Gebrauchsgegenstände jeder Art herstellen. In neuer Zeit beschäftigen sich gewisse Klöster auch mit Informatik, Buchdruck etc.

Die Buchhaltung jedes Klosters ist ein Beispiel ausgezeichneter administrativer Führung. Jedes Kloster ist eine Fabrik für sich. Man arbeitet viel darin. Man muss wohl organisiert sein, damit man es fertig bringt, seine Arbeit neben der Messe (nämlich sieben Gottesdiensten pro Tag) noch zu erledigen.

Seit einigen Jahrzehnten setzt sich eine in Paris gegründete Organisation zum Ziel, den Klöstern zu helfen beim Verkauf der klösterlichen Produkte und durch zusätzliche Freiwilligenarbeit.

Die Oberen der beschaulichen Orden (Abt, Äbtissin) reisen viel. Die anderen Mitglieder gehen nur selten und ausnahmsweise hinaus. Mitglieder der apostolischen Orden haben auch Funktionen in der Welt und erhalten deshalb ein regelmäßiges Einkommen. Aber alle Einkommen und Erträge fließen in die Gemeinschaft.

Das Gebiet ist dermaßen umfangreich, dass wir es bei diesem kurzen Überblick belassen und die Erläuterungen nicht zu weit ausdehnen wollen.

Der Katholizismus

Seit unserem Austritt aus dem Katholizismus begegnen wir einer großen Zahl von Menschen, die sich ganz grundsätzliche Fragen stellen. Wir stellen fest, dass die Leute auf der Suche nach wahren Werten sind. Mit Erleichterung erkennen wir einen Drang danach, die Wahrheit zu erforschen. Aber mit tiefer Traurigkeit stellen wir ebenfalls fest, wie ungenügend die Information über die verschiedenen Religionen ist, wie auch immer sie bezeichnet werden. Dieses Phänomen ist besonders ausschlaggebend für die Katholiken.

Wir fühlen uns nicht berufen, sie belehren zu müssen. Wir werden uns auf eine kurze Zusammenfassung dessen beschränken, was als Antwort auf eine uns immer wieder gestellte Frage dienen mag: Was ist eigentlich der Katholizismus?

Der Katholizismus ist die Religion, welche die Autorität des Papstes betreffend Lehre und Moral anerkennt. Das Wort »Katholizismus« unterstreicht eigentlich die Wichtigkeit eines wesentlichen Charakters der Kirche Jesu Christi, nämlich desjenigen der Allgemeingültigkeit von Rechts wegen. Der Beiname »katholisch« ist das erste Mal ganz am Anfang des zweiten Jahrhunderts aufgetreten und wird in der Glaubensregel erwähnt, die durch das Konzil von Konstantinopel erlassen worden ist. Die Nachforschungen ergeben, dass die Formel »wir glauben an die eine katholische und apostolische Kirche« erst im Jahr 381 nach Chr. verwendet wurde. Die Getreuen werden aufgerufen, in dieser Glaubensbezeugung einen einzigen Glauben und eine einzige Heilsverheißung für die ganze Menschheit zu erkennen. Nur die Kirche mit dem Zentrum in Rom hält an diesem Titel »katholisch« fest.

Der Katholizismus verkündet eine Einheit, die auf den Glauben an Jesus Christus gegründet ist, auf die Hilfe von Sakramenten und auf das festgelegte religiöse Leben. Jede schwere Beeinträchtigung dieser Einheit bewirkt einen Bruch, der als Ketzerei qualifiziert wird. Jede Person, die der Ketzerei angeklagt ist, wird aus der Kirche ausgeschlossen und macht sich einer Todsünde schuldig.

Der Katholizismus basiert zuerst auf der Überlieferung, dann der Heiligen Schrift und der Kirche. Die Kirche ist ein hierarchischer, wichtiger und eindrücklicher Bestandteil. Der Katholizismus legt fest, dass die Heilige Schrift sich einzugliedern hat in den Prozess der kirchlichen Tradition. Gemäß dieser Lehre lebt die Heilige Schrift nur dank der Tradition. Wer sich näher in den Katholizismus vertieft, von dem wird verlangt, der Tradition den ersten Platz einzuräumen. Sie allein ist der Kanal der göttlichen Gnade, die sich überträgt durch die sieben wichtigsten kirchlichen Handlungen, die Sakramente: nämlich Taufe, Einsegnung, Buße, Kommunion, Weihe, Ehe und Salbung der Kranken. Es wird gelehrt, die Gnade der Sakramente sei allmächtig.

Der Katholizismus setzt den Akzent auf die kirchliche Einheit um den Papst, die Kardinäle, Bischöfe, Erzbischöfe, Nuntien, Priester etc. Die ganze Hierarchie ist die geistige Macht und hat die Macht zu unterweisen, die Macht der priesterlichen Ordnung, die gesetzgebende Macht, die pastorale Macht, die liberale, soziale und politische Macht.

Gemäß den Statistiken ist der Katholizismus zahlenmäßig die wichtigste der christlichen Religionen mit über 995 Millionen Anhängern.

Im Katholizismus gibt es verschiedene Ausdrucksformen: den Traditionalismus, den Progressismus, die Befreiungstheologie, die pfingstlerischen und charismatischen Bewegungen. Heute arbeitet der Katholizismus als zeitgenössische katholische Religion auf eine Ökumene unter seiner Leitung hin.

Je nach Zeitströmung fügen sich Dogmen dazu, Praktiken und verschiedene Kultformen. Die Heiligenverehrung nimmt dabei einen großen Platz ein, so wie der Marienkult, der für sich allein schon eine Studie wert wäre.

Es existieren ausgezeichnete Werke, die den Katholizismus und seine lange bewegte Geschichte erklären. Diese Werke können vieles bedeutend besser erklären als wir.[31]

Im kanonischen Recht gelten 1752 Regeln als Basis des Katholizismus.

Fußnoten

1 Hervée ist ein französischer weiblicher Vorname, dem kein gebräuchlicher deutscher Vorname entspricht.

2 Schweizerisches Gebäck, außerhalb der Schweiz oft als Hörnchen bezeichnet.

3 Anspielung auf Männer und Frauen, die meist an Jahrmärkten auftreten und dort eine Unzahl von Instrumenten gleichzeitig spielen.

4 Man könnte es auch nennen: Rolands Bewerbung oder Rolands Kandidatur.

5 Im Französischen heißt es meistens »père abbé«, also »Vater Abt«, was im Deutschen weniger gebräuchlich ist.

6 Der oder das Indult kann eine vorübergehende Befreiung von einer kirchengesetzlichen Verpflichtung sein. – Die Autoren erklären dazu: Ausdruck des katholischen kanonischen Rechts, der jegliches Wohlwollen des Heiligen Stuhls bezeugt, sei es zu Gunsten einer Gemeinschaft oder einer Einzelperson, und der von Vorschriften des allgemeinen Kirchenrechtes befreit.

7 Bekennen von Missetaten. »Il bat sa coulpe« ist vom Lateinischen (mea culpa, pectorem plango) abgeleitet und bedeutet, sich an die Brust schlagen.

8 Ein Kapitelsaal befindet sich in jedem Kloster. Dort geschieht alles, was wichtig ist für die Gemeinschaft. Jeden Morgen findet sich die Klostergemeinschaft dort ein. Nach dem Lobpreis liest der Vorsteher die Klosterregel und gibt seinen Kommentar dazu. Alles, was in diesem Saal geschieht und gesagt wird, muss in größter Stille erfolgen, darf niemals außerhalb besprochen oder ausgeplaudert werden. Hier gibt der Vorsteher der Gemeinschaft die Befehle und Nachrichten des Papstes und der Oberen aus Rom bekannt. Hier findet auch die Culpa (siehe Fußnote 7) statt, nämlich: Verwarnungen und Verweise, Züchtigungen, Exkommunikation, Stockschläge und weitere in der Klosterregel vorgesehene Maßnahmen.

9 In der Tat, gemäß Kapitel 58 der Klosterregel, wird festgehalten: »Man wird den Eintritt ins Kloster für diejenige, die sich für den Eintritt meldet, nicht leicht machen. Man wird sie prüfen. Wenn sie geduldig die Verletzungen und die Schwierigkeit erträgt, wird sie die Erlaubnis für den Eintritt erhalten. Sie wird dann sehr aufmerksam überwacht werden. Man wird untersuchen, ob sie Eifer zeigt zum Gehorsam und zu den Demütigungen, und man wird ihr die harten und rauen Schwierigkeiten aufzeigen, durch welche man zu Gott kommt. Am Ende einiger Monate wird sie durch das Noviziat aufgenommen, wenn sie verspricht, die Regel in allen Punkten zu halten und alles zu beachten, was ihr aufgetragen ist. Von diesem Tag an weiß sie, dass es ihr nicht mehr erlaubt ist, das Kloster zu verlassen oder das Joch dieser Regel abzuschütteln.« Dieser Text, der nur einen Teil des Kapitels 58 der Ordensregel umfasst, wird jeweils am 11. April, 11. August und 11. Dezember verlesen und kommentiert. Es ist die Regel des St. Benoît.

10 Es handelt sich hier um einen Teil des Kapitels 43, der am

24. März, 24. Juli und 23. November gelesen wird: »Niemand wird sich erlauben zu essen oder zu trinken, was es auch sei, vor oder nach dem Zeitpunkt, der für die Mahlzeiten bestimmt ist.«

11 Eine deutsche Übersetzung von Jesus Sirach 18,30 drückt das so aus: »... gib deinen Begierden nicht nach ...«

12 Das Überschreiten der Grenzen der Erfahrung, des Bewusstseins.

13 Dem Ordensgelübde vorausgehende Probezeit im Kloster.

14 Bei der Mönchstracht der Überwurf über Brust und Rücken.

15 Einige Texte der Ordensregel über den Ausschluss: Aus dem Kapitel 24 der Regel, das jeweils am 1. März, 1. Juli und 31. Oktober gelesen wird:
»Das Maß des Ausschlusses oder der Züchtigung muss im richtigen Verhältnis zur Verfehlung stehen. Die Einschätzung des Fehlverhaltens und der Richterspruch obliegt dem Abt.«
Aus dem Kapitel 26 der Ordensregel, das jeweils am 3. März, 3. Juli und 2. November gelesen wird:
»Wenn ein Bruder sich ohne Erlaubnis des Abtes einem ausgeschlossenen Bruder zu nähern wagt, unter welchen Umständen dies auch sei, wenn er mit ihm spricht, ihm etwas übergibt, wird er die gleiche Strafe des Ausschlusses über sich ergehen lassen müssen.«
Aus dem Kapitel 25 der Ordensregel, jeweils vorgelesen am 2. März, 2. Juli und 1. November:
»Der schuldige Bruder wird gleichzeitig vom gemeinsamen Tisch und von der Hauskapelle ausgeschlossen. Kein Bruder wird mit ihm geschäftlich etwas zu tun haben oder sich mit ihm unterhalten. Er wird allein sein bei der zugewiesenen Arbeit und bleibt so in der Trauer der Buße, wobei er über folgendes Wort des Apostels nachdenken soll: *1. Kor. 5,5:*

> *Wir werden zusammenkommen, um diesen Menschen dem Satan auszuliefern. Er soll die zerstörerische Macht des Satans am eigenen Leib erfahren, damit sein Geist an dem Tag, an dem der Herr Gericht hält, doch noch gerettet wird.* Er wird sein Essen allein zu sich nehmen, gemäß dem Maß und der Stunde, die dem Abt richtig scheinen. Wer vorbeigeht, darf ihn und das Essen, das ihm gegeben wird, nicht segnen.«

16 Französisch: »père abbé général de la congrégation«.

17 Text der Regel zu diesem Thema aus dem Kapitel 58 der Regel, jeweils gelesen am 12. April, 12. August und 12. Dezember: »Wenn der Kandidat Vermögen besitzt, wird er es entweder vorher den Armen verteilen, oder er wird es dem Kloster durch eine feierliche Schenkung überschreiben, ohne irgendetwas zurückzubehalten; denn er muss wissen, dass er von diesem Augenblick an nicht einmal mehr über seinen eigenen Körper verfügen kann.«

18 Bedeutet auch: Zufluchtsort, Einkehr, Exerzitien, Schlupfwinkel.

19 Die Vorbereitung der »Vorabendlesungen« ist eine Arbeit gemäß der täglichen Liturgie, die das Nachschlagen in vielen Büchern erfordert. Diese Arbeit ist sehr interessant, treibt einen aber stark in die Lehrfragen hinein.

20 Dort steht: Die schlechten Gedanken gegen Christus zerbrechen, sobald sie sich im Herzen bilden, und sie einem geistlichen Vater offenbaren.

21 Die Nonen sind im altrömischen Kalender der neunte Tag vor den Iden, die ihrerseits den 13. oder 15. Monatstag des altrömischen Kalenders bezeichnen.

22 Erklärung des Begriffs in Fußnote 6.

23 Könnte auch heißen: Die Akte ist definitiv geschlossen.

24 Im Sinne von: Ich bin nicht mehr ich selbst. Meine Persönlichkeit ist völlig verändert.

25 Hier eher in der Bedeutung »Breiter Bodeneinschnitt«.

26 Käsesorte

27 Ordensleute eines 1120 durch St. Norbert in Prémontré bei Laon gegründeten Ordens. In den folgenden Abschnitten wird näher davon berichtet.

28 Eigentlich »Abtei«, hier aber Ortsname: »L'Abbaye«.

29 Emd, schweizerisch für Grummet. Emden, Grummet machen.

30 Nach der Abtei La Trappe, Angehöriger des Ordens der reformierten Zisterzienser mit Schweigegelübde.

31 Wir empfehlen dazu: Lothar Gassmann, Was kennzeichnet die katholische Kirche – H.-W. Deppe, Sind Sie auch katholisch? – J. MacCarthy, Das Evangelium nach Rom – Gregor Dalliard, Ich durfte nicht mehr Priester sein – Richard Bennett, Von Rom zu Christus.

clv

Taschenbuch

Gregor Dalliard
Ich konnte nicht mehr Priester sein

160 Seiten
ISBN 3-89397-410-5

»»Ab Mitternacht sind Sie nicht mehr Pfarrer von Grächen! Ich verbiete Ihnen jegliche Tätigkeit. Verlassen Sie das Pfarrhaus so schnell wie möglich!‹

Die Stimme des Bischofs hallte noch in meinen Ohren – fristlos entlassen! Was war eigentlich geschehen? Was sollte ich nun tun?«

Sie spannende Autobiografie eines römisch-katholischen Priesters, der die tiefgründige Wahrheit der Bibel entdeckte und sich in seinem Leben und seiner Verkündigung an das Wort Gottes halten wollte. Doch die kirchliche Obrigkeit sah das anders, und auch seine Freunde verließen ihn. So findet er durch viele Konflikte hindurch den Weg zur Freiheit allein in Christus.

Hans-Werner Deppe
Sind Sie auch katholisch?

Taschenbuch

128 Seiten
ISBN 3-89397-785-6

Systematisch werden die Abweichungen des katholischen Glaubens vom biblischen Evangelium aufgezeigt und der Leser mit dem Evangelium der Gnade Gottes und der Notwendigkeit der Wiedergeburt bekannt gemacht.

Der Autor zitiert viele katholische Quellen – allen voran den Weltkatechismus – und stellt dem treffend die Aussagen der Bibel gegenüber. Zwei Anhänge über Wiedergeburt und Gemeinde runden das Buch ab.

Ein preiswerter Überblick über die Konflikte der röm.-kath. Kirche mit der biblischen Lehre.

**Weitere Bücher
zum Thema Katholizismus**

Sachbücher

James G. McCarthy
Das Evangelium nach Rom
*Eine Gegenüberstellung der katholischen
Lehre und der Heiligen Schrift*
Hardcover, 444 Seiten
ISBN 3-89397-366-4

Ist das Evangelium der röm.-kath. Kirche ein anderes als das der Bibel? Anhand des »Katechismus der Katholischen Kirche« und dem Wort Gottes zeigt der Autor grundlegende und bis ins Gegenteil verkehrte Unterschiede auf.

Dave Hunt
Die Frau und das Tier
*Geschichte, Gegenwart und Zukunft der
römischen Kirche*
Paperback, 544 Seiten
ISBN 3-89397-244-7

Der Autor porträtiert die Frau in Offenbarung 17, ihren Einfluss auf historische Ereignisse und derzeit weltweite Entwicklungen und ihren mächtigen Einfluss beim Entstehen des zukünftigen antichristlichen Reiches. Die Reformatoren deuteten die Frau als die röm.-kath. Kirche. Ist diese Sicht überholt?